OGAWA Ito

Le Restaurant de l'amour retrouvé

Roman traduit du japonais
par Myriam Dartois-Ako

Éditions
Philippe Picquier

Titre original : *Shokudô katatsumuri*

Mas de Vert
B.P. 20150
13631 Arles cedex

www.editions-picquier.fr

En couverture : © cocoaloco Images/Getty

Conception graphique : Picquier & Protière

Mise en page : M.-C. Raguin, www.adlitteram-corrections.fr

ISBN : 978-2-8097-1072-4
ISSN : 1251-6007

Quand je suis rentrée à la maison après ma journée de travail au restaurant turc où j'ai un petit boulot, l'appartement était vide. Complètement vide. La télévision, la machine à laver et le frigo, jusqu'aux néons, aux rideaux et au paillasson, tout avait disparu.

Un instant, j'ai cru que je m'étais trompée de porte. Mais j'avais beau vérifier et revérifier, c'était bien ici, le nid d'amour où je vivais avec mon petit ami indien. La tache en forme de cœur, abandonnée au plafond, en était la preuve irréfutable.

On aurait dit le jour où l'agent immobilier nous avait montré l'appartement pour la première fois. Seulement, à la différence de ce jour-là, il flottait dans la pièce un léger parfum de garam masala et, au beau milieu du salon désert, luisait la clé de mon copain.

Dans cet appartement que nous avions eu du mal à trouver, nous passions nos nuits dans le même futon, côte à côte, main dans la main. La peau de mon amoureux indien exhalait toujours un arôme épicé. Les vitres étaient décorées de cartes postales du Gange. J'étais parfaitement incapable de déchiffrer les lettres en hindi qui arrivaient de temps à autre d'Inde, mais il me suffisait de poser le doigt sur les caractères pour avoir l'impression d'être reliée à ma famille indienne, submergée de tendresse.

Un jour, on irait sans doute en Inde, tous les deux.

C'est comment, une cérémonie de mariage à l'indienne ?

Je m'abandonnais à de doux rêves, aussi sucrés qu'un lassi à la mangue.

Cet appartement renfermait, condensés, les souvenirs de trois années de vie commune avec mon fiancé et tout ce que nous possédions de plus précieux.

Chaque soir, je cuisinais en attendant son retour.

L'évier était petit mais nanti d'une paillasse carrelée, et l'appartement, qui faisait l'angle, avait des fenêtres sur trois côtés. Lorsque j'étais de service du matin au restaurant, la joie de préparer le repas en fin d'après-midi, dans la lumière orangée du soleil déclinant, était un bonheur sans pareil. Il y avait également un four à gaz, pas très performant mais un four à gaz quand même, et comme la cuisine aussi avait une fenêtre, quand je dînais seule, je pouvais faire griller du poisson séché sans que l'odeur envahisse la maison, c'était pratique.

J'avais aussi tous mes ustensiles de cuisine préférés.

Le mortier de l'ère Meiji hérité de ma grand-mère aujourd'hui disparue, le baquet en bois de cyprès dans lequel je gardais le riz au chaud, la cocotte en fonte Le Creuset enfin achetée avec mon premier salaire, les baguettes de cuisine à pointe fine dénichées chez un marchand spécialisé de Kyôto, le couteau d'office italien que m'avait offert le chef d'un restaurant bio pour mes vingt ans, mon tablier en lin si agréable à porter, les galets ronds indispensables à la confection des aubergines en saumure, sans oublier la poêle en fonte pour laquelle j'avais fait tout le trajet jusqu'à Morioka.

La vaisselle, le grille-pain, le papier sulfurisé, tout, absolument tout avait disparu. Nous n'avions pas beaucoup de meubles, mais des ustensiles de cuisine, si. Tous mes compagnons de cuisine. Je puisais dans l'argent gagné chaque mois grâce à mon petit job pour me constituer une batterie d'ustensiles qui me dureraient longtemps, même s'ils coûtaient un peu cher. Et dire qu'ils commençaient tout juste à être faits à ma main...

A tout hasard, j'ai ouvert les placards de la cuisine, les uns après les autres, pour vérifier. A l'intérieur, ne subsistaient que des traces de ce qu'ils avaient contenu, j'avais beau chercher à tâtons, mes mains ne rencontraient que le vide. Même les prunes séchées, reliques des heures passées avec ma grand-mère, quelques années auparavant, à les faire sécher et les préparer une à une, s'étaient purement et simplement évaporées.

Pareil pour les ingrédients achetés en prévision des croquettes de semoule et pois chiche à la crème que je me faisais un plaisir de déguster le soir même avec mon petit ami végétarien.

C'est là que soudain, au fait !, j'ai couru vers l'entrée et me suis précipitée dehors, en chaussettes.

Le seul aliment fermenté japonais que mon fiancé aimait, c'étaient les légumes en saumure que je préparais. Ça, il en mangeait tous les jours. Sans la saumure de son de riz héritée de ma grand-mère, ils n'auraient pas eu le même goût.

Je rangeais toujours la jarre de saumure dans le réduit du compteur à gaz, à côté de la porte d'entrée, où la température et l'humidité étaient idéales. Il y faisait frais même au cœur de l'été, et inversement, en hiver, la température était plus élevée que dans le réfrigérateur, c'était parfait pour la conserver.

C'était un précieux souvenir de ma grand-mère.

Je vous en prie. Faites que la saumure soit encore là...

J'ai ouvert la porte en priant : la chère jarre m'attendait patiemment dans l'obscurité.

J'ai ôté le couvercle et inspecté l'intérieur. Pas de doute, la forme imprimée ce matin par la paume de ma main était toujours visible. Des feuilles de navet vert pâle émergeaient à la surface. Les navets en saumure, épluchés en laissant seulement une petite touffe de feuilles et incisés en croix à l'extrémité, sont doux et juteux.

Ouf !

Instinctivement, j'ai pris la jarre à deux mains et l'ai serrée contre ma poitrine. Elle était toute fraîche. C'était mon ultime planche de salut.

J'ai remis le couvercle et, la lourde jarre de saumure sous un bras, je suis retournée à l'intérieur où j'ai ramassé avec les orteils la clé abandonnée, puis, mon panier dans l'autre main, j'ai quitté l'appartement vide.

La porte s'est refermée dans un claquement sonore, comme pour l'éternité.

J'ai pris les escaliers au lieu de l'ascenseur et, en faisant bien attention à ne pas lâcher la jarre de saumure, j'ai descendu les marches lentement, une par une, et je suis sortie de l'immeuble. A l'est, une lune tronquée flottait dans le ciel.

Je me suis retournée ; le vieil immeuble, construit trente ans plus tôt, me dominait dans la pénombre, pareil à un monstre tapi là.

Notre nid d'amour, pour lequel j'avais soudoyé notre propriétaire en lui offrant des madeleines faites maison pour obtenir un bail sans la caution d'un garant. Mais je ne pouvais plus rester ici.

J'ai tourné le dos à l'immeuble et je suis allée chez le propriétaire pour lui rendre les clés. C'était la fin du mois, j'avais payé le terme suivant quelques jours plus tôt. Puisqu'il fallait normalement un mois de préavis pour résilier le bail, je pouvais immédiatement quitter l'appartement sans que cela pose de problème. De toute façon, il ne restait plus rien à l'intérieur, comme après un déménagement.

Dehors, la nuit était tombée. Sans montre ni téléphone portable, je ne savais même pas quelle heure il était.

D'un pas lourd, j'ai parcouru la distance entre plusieurs stations pour rejoindre la gare routière, où j'ai dépensé presque tout ce qui me restait dans un billet pour l'autocar longue distance de nuit.

Le car pour mon village natal, où je n'avais pas remis les pieds depuis que je l'avais quitté au printemps de mes quinze ans.

Il a démarré tout de suite et nous a emportés, ma jarre de saumure, mon panier et moi.

Les lumières de la ville défilaient derrière la vitre.

Adieu !

Dans mon cœur, j'ai agité la main.

J'ai fermé les yeux et tout ce qui m'était arrivé depuis ce jour-là s'est bousculé dans ma tête, comme des feuilles mortes balayées par le vent d'hiver.

Depuis mon départ à l'âge de quinze ans, je n'étais jamais retournée dans mon village natal.

J'ai grandi dans un village paisible au cœur d'une vallée, en pleine nature, un endroit que j'adorais. Mais le soir de la cérémonie de fin d'études du collège, je suis partie de chez moi. Comme aujourd'hui, par l'autocar longue distance de nuit.

Depuis ce jour-là, mes relations avec ma mère se réduisaient aux vœux du Nouvel An. Quelques années après mon départ, la photo en couleurs d'un cochon endimanché, vêtu d'une belle robe et tendrement serré contre ma mère fagotée comme une artiste de rue, avait fait son apparition sur les cartes de vœux.

En ville, j'habitais chez ma grand-mère.

Lorsque je rentrais, j'ouvrais dans un grincement la porte coulissante un peu branlante en criant « c'est moi ! » et ma grand-mère, affairée à la cuisine, m'accueillait avec un sourire bienveillant.

C'était ma grand-mère maternelle. Elle vivait dans une vieille maison en bordure de la ville, un quotidien dénué de luxe mais en accord avec les saisons, qui conférait à chaque jour sa juste valeur. Elle s'exprimait avec élégance, était avenante mais ferme et portait le kimono à merveille. Je l'adorais pour tout cela.

Quand j'y repensais, mes dix années en ville s'étaient écoulées en un clin d'œil.

J'ai essuyé la vitre couverte de gouttelettes ; mon visage se reflétait dans la nuit noire. Le bus avait traversé les quartiers où s'alignent les grands immeubles et filait sur l'autoroute.

Depuis que j'étais en couple, je ne m'étais pas fait couper les cheveux une seule fois, à part la frange, et mes tresses m'arrivaient au milieu du dos. Parce que mon petit ami disait qu'il aimait les filles aux cheveux longs.

Les yeux rivés sur mon reflet un peu flou dans l'obscurité, j'ai ouvert la bouche, le plus grand possible. Exactement comme le ferait une baleine en train d'ingurgiter une énorme quantité de poissons, j'ai avalé le paysage qui défilait en noir et blanc.

Et, à cet instant, mes yeux ont plongé dans les yeux de mon moi d'avant. Du moins, c'est l'impression que j'ai eue.

C'était fugace, mais j'ai cru me voir dix ans plus jeune, le nez collé contre la vitre à rêver des lumières de la ville, dans l'autocar qui s'éloignait en sens inverse.

Je me suis vite retournée pour suivre du regard le car qui venait de croiser le mien. Mais la distance qui les séparait augmentait à toute allure, éloignant inexorablement le passé de l'avenir, et la vitre s'est de nouveau couverte de gouttes d'eau.

Quel âge avais-je, au fait ? Lorsque j'avais décidé de faire de la cuisine mon métier.

Cuisiner était, dans mon existence, comme un arc-en-ciel fragile qui flotterait dans la pénombre.

Ensuite, alors que je m'étais plongée dans l'excitation de la grande ville, que j'arrivais enfin à bavarder et à rire comme n'importe qui d'autre, ma grand-mère avait paisiblement rendu son dernier souffle.

Tard un soir, au retour de mon petit boulot dans un restaurant turc, une pile de donuts recouverte d'une serviette en papier était posée sur la table et, à côté, ma grand-mère était morte, comme endormie.

J'ai collé mon oreille contre sa maigre poitrine, sans rien entendre, j'ai placé la paume de ma main devant sa bouche et son nez, sans sentir le moindre souffle. Je savais bien qu'elle ne ressusciterait pas. Je ne me suis pas dépêchée d'appeler quelqu'un, j'ai décidé de passer cette dernière soirée en sa compagnie, rien que nous deux.

Peu à peu, son corps s'est refroidi et raidi. A ses côtés, j'ai passé la nuit à manger les donuts. Elle avait mélangé des graines de pavot à la pâte saupoudrée de cannelle et de cassonade, jamais je n'oublierai ce goût suave.

Avec chaque donut de la taille d'une bouchée, moelleusement frit à l'huile de sésame, que je déposais dans ma bouche, les journées baignées de soleil passées avec ma grand-mère me revenaient à l'esprit, telles des bulles vaporeuses.

Ses mains blanches aux veines bleues saillantes en train de mélanger la saumure de son de riz. Son frêle dos arrondi, penché sur le mortier à piler. Son profil charmant lorsqu'elle vérifiait l'assaisonnement, portant à sa bouche une minuscule cuillerée déposée au creux de sa main.

Ces souvenirs, toujours présents à mon esprit, ne m'ont jamais quittée.

C'est au cours de cette période difficile que j'ai rencontré mon petit ami indien.

Il travaillait dans le restaurant indien voisin du restaurant turc où j'avais un petit job, il était serveur la semaine et musicien pour le spectacle de danse du ventre le week-end. Nous avions fait connaissance en allant jeter les poubelles derrière le restaurant, échangeant quelques mots pendant nos pauses ou après notre service, au moment de rentrer.

C'était un garçon gentil, grand, avec de beaux yeux. Il était un peu plus jeune que moi et parlait quelques mots de japonais. Son sourire et son japonais hésitant et comique me faisaient oublier, un bref instant, la disparition de ma grand-mère, ce sentiment de perte proche du désespoir qui était le mien.

Quand je repense à cette époque, dans mon esprit, l'Inde et la Turquie sont intimement mêlées. Je revois mon amoureux au visage typique d'Indien, peau basanée et regard clair, manger un curry aux haricots et aux légumes, avec en toile de fond, allez savoir pourquoi, la Turquie, sa mer bleue et ses mosquées aux murs carrelés.

C'est sans doute à cause de l'endroit où nous nous sommes rencontrés.

Finalement, mon petit job dans ce restaurant turc aura été le plus long de tous. Pendant près de cinq ans, j'y ai travaillé presque tous les jours à temps plein, les dernières années en cuisine, avec les autres cuistots venus tout droit de Turquie.

A ce moment-là, après une séparation et une rencontre aussi soudaines qu'un tsunami, le fait de simplement vivre me demandait chaque jour un terrible effort physique et psychologique, mais quand j'y repense, ces journées me semblent uniques, proches du miracle.

A ce point de mes souvenirs, j'ai poussé un gros soupir. Il fallait que je prévienne le fameux restaurant turc.

La vitre qui jusqu'alors était voilée par les gouttes d'eau reflétait maintenant l'intérieur de l'autocar, comme la surface de l'eau. Les passagers, une douzaine à peine, dormaient tous, le dossier de leur siège incliné en arrière. Mon visage aux contours indistincts se détachait sur l'obscurité d'un bleu limpide.

Le soleil allait bientôt se lever.

Pour me changer les idées, j'ai entrouvert la fenêtre, le ciel commençait à blanchir peu à peu.

Un parfum d'iode se mêlait discrètement au vent.

En m'étirant, j'ai aperçu les pales d'une éolienne en mouvement. Piquées sur une prairie immense, quelques turbines blanches dominaient le paysage, leurs pales tournant à une vitesse folle.

Le froid m'a saisie, s'immisçant par les pores de ma peau, et un frisson m'a traversée. Vêtue seulement d'une jupe au-dessus du genou avec des chaussettes hautes et d'un tee-shirt à manches longues, j'avais les extrémités engourdies par le froid.

L'autocar arriverait bientôt à la gare routière, son terminus.

L'air sentait la pluie au loin.

Je suis descendue du car au rond-point devant la gare décrépite.

J'aurais pu croire que mon départ datait d'hier, tellement rien n'avait changé. Seules les couleurs s'étaient fanées, tout avait un peu blanchi, comme un paysage dessiné aux crayons de couleurs qu'on aurait ensuite gommé.

Il me restait près d'une heure avant le départ du minibus qui assurait la correspondance ; je suis entrée dans une supérette toute proche, où j'ai dépensé mes derniers sous pour un paquet de fiches bristol reliées par un anneau et un marqueur noir. Le magasin sentait le neuf, lui, avec son sol bien briqué et tout brillant.

Sur les fiches, j'ai écrit les mots du quotidien qui me seraient nécessaires dorénavant, un par page, en caractères bien nets et lisibles.

Bonjour.
Il fait beau, n'est-ce pas ?
Comment allez-vous ?
Je voudrais ceci.
Je vous remercie.
Enchantée.
Au revoir, bonne journée à vous.
S'il vous plaît.

Pardon, je suis désolée.
Je vous en prie.
C'est combien ?

Je m'étais aperçue d'une chose.

La veille, lorsque j'avais voulu acheter mon billet d'autocar au guichet, ou plutôt, quand j'étais allée rendre les clés au propriétaire, enfin non, à l'instant même où j'avais ouvert la porte de l'appartement vide...

Ma voix était devenue transparente.

Pour faire simple, il s'agissait peut-être d'une sorte de névrose déclenchée par le choc psychologique.

Cela ne voulait pas dire que j'étais devenue incapable de parler.

Ce n'était pas ça, ma voix avait purement et simplement disparu de mon organisme. Comme quand on baisse le volume de la radio à zéro. La musique et les voix vibraient en moi, mais rien ne sortait.

J'avais perdu ma voix.

Cela m'avait un peu surprise, mais pas attristée. Ça ne me manquait pas. J'avais l'impression que mon corps s'était allégé. Et comme de toute façon, je n'avais envie de parler à personne, ça tombait très bien.

Je voulais prêter l'oreille à la voix qui venait de mon cœur, celle que moi seule pouvais entendre. C'est ce qu'il fallait faire, j'en étais certaine.

Mais j'avais déjà vingt-cinq ans d'existence derrière moi et je savais que, dans les faits, il était impossible de vivre sans communiquer avec autrui.

Sur la dernière fiche, j'ai écrit :

Pour certaines raisons, je n'ai plus de voix en ce moment.

Et je suis montée dans le minibus miteux.

A la différence de l'autocar longue distance qui filait dans la nuit, le minibus dans lequel j'étais installée roulait très lentement. Avec le lever du jour, j'ai soudain eu faim. Je me suis rappelé que j'avais laissé une partie des *onigiri* de mon déjeuner de la veille, et j'ai sorti le reste de mon panier. Celui-ci ne contenait plus que mon porte-feuille avec quelques pièces dedans, une petite serviette et des mouchoirs en papier.

Pour faire des économies, je préparais chaque matin de ces boulettes de riz que j'emportais au travail. Au restaurant turc qui m'employait, il fallait payer pour manger sur place.

Avec l'argent mis de côté, nous devions un jour ouvrir un restaurant ensemble, mon petit ami et moi. Fallait-il plutôt dire *nous aurions dû*, ou *nous devions*, comme si c'était encore le cas ? J'ai tenté d'y réfléchir, mais dans ma tête, tout est devenu blanc, comme noyé sous un flot de peinture blanche.

Les économies faites pour nous installer à notre compte, nous les gardions non pas à la banque, mais chez nous dans un placard. Je faisais des liasses de cent mille yens et, quand elles atteignaient un million, je glissais le tout dans une enveloppe que je fermais avec du scotch et cachais dans un placard, entre deux matelas qui ne servaient pas habituellement. Et il n'y en avait pas qu'une seule, de ces enveloppes d'un million de yens économisés en rognant sur tout. Quand j'essayais de me souvenir de leur nombre, un nouveau torrent de peinture blanche déferlait immédiatement dans ma tête.

Ecartant le papier aluminium tout froissé, j'ai découvert un *onigiri* à moitié écrasé. Je l'ai saisi entre mes doigts et porté à ma bouche, il avait un goût saumâtre. C'était vraiment la dernière des prunes séchées préparées avec ma grand-mère.

Nous les avions veillées la nuit à tour de rôle, pour éviter qu'elles moisissent. Pendant la période de séchage où, trois jours durant, elles occupaient toute la véranda, elles devaient être retournées régulièrement, à quelques heures d'intervalle, et pétries légèrement du bout des doigts pour les ramollir. Même sans utiliser de feuilles de pérille de Nankin, les prunes séchées de ma grand-mère viraient au rose.

La dernière prune dans la bouche, je suis restée immobile un moment. Son acidité me pénétrait jusqu'à la moelle. Cette prune dans ma bouche avait pour moi autant de prix qu'une pierre précieuse cachée. Les jours passés en compagnie de ma grand-mère me revenaient. Les larmes me sont montées aux yeux mais j'ai réussi à les retenir, la gorge nouée.

C'était ma grand-mère qui, en douceur, m'avait initiée à l'univers de la cuisine.

Au début, je m'étais contentée de regarder, mais au fil du temps, j'avais pris place à ses côtés devant les fourneaux et j'avais appris à cuisiner. Elle ne me donnait que peu d'explications mais elle me faisait goûter aux plats à chaque étape de leur préparation. Peu à peu, mon palais a emmagasiné les consistances, les textures, les goûts.

A l'époque où je vivais chez ma mère, pour moi, faire la cuisine, c'était réchauffer quelque chose au four à micro-ondes ou ouvrir une boîte de conserve. J'étais dans l'erreur la plus totale. Ma grand-mère préparait tout elle-même, la pâte de miso, la sauce de soja, le radis blanc râpé et séché. Le jour où j'ai découvert qu'un simple bol de soupe de miso recelait tout un tas de vies – celles des petites sardines et de la bonite séchées, des graines de soja et du levain de riz –, j'ai été sidérée.

La silhouette de ma grand-mère en train de s'affairer dans la cuisine m'apparaissait nimbée d'une lumière à la fois divine et sublime, et il me suffisait de la contempler de loin pour me sentir apaisée. Le simple fait de l'aider me donnait l'impression de prendre part, moi aussi, à une tâche sacrée.

Les expressions qu'elle employait, *c'est juste bien*, *c'est relevé comme il faut*, ne m'évoquaient rien, à moi qui ne savais pas cuisiner. Mais, progressivement, j'ai fini par comprendre. Ma grand-mère désignait la perfection, l'équilibre idéal d'une préparation par des formules vagues comme « c'est juste bien » et « c'est relevé comme il faut ».

A mon insu, la prune séchée avait graduellement fondu ; il ne me restait plus sur la langue qu'un petit noyau et des souvenirs.

En ville s'épanouissaient les derniers jours de l'été, mais ici, l'automne était déjà bien installé. Manger l'*onigiri* m'avait donné encore plus froid, au fond du minibus, je tremblais de tous mes membres. J'aurais bien aimé boire quelque chose de chaud, mais j'étais déjà dans le bus et, de toute façon, je n'avais plus d'argent pour me payer une boisson.

J'ai couché la jarre de saumure sur mes genoux, comme un nourrisson. Il me semblait qu'ainsi, j'aurais un peu plus chaud.

Le front collé à la vitre, j'ai regardé le paysage.

La topographie de mon village natal, qui s'était presque effacée de ma mémoire, me revenait peu à peu, comme une photographie qui se révèle progressivement. Sur la carte ancienne que j'avais dans la tête, j'ajoutais les maisons récemment construites et les nouveaux magasins.

Le minibus continuait son chemin, quittant la ville pour s'enfoncer dans les montagnes. Je devais être nerveuse, mon cœur cognait dans ma poitrine.

A chaque virage apparaissaient au loin les Mamelons. Deux montagnes verdoyantes, comme serrées l'une contre l'autre. Elles faisaient à peu près la même taille et chacune était coiffée d'un rocher au sommet. De loin, elles rappelaient les seins d'une femme allongée sur le dos, d'où ce nom, les Mamelons, par lequel les gens du coin les désignent depuis toujours.

C'était là qu'on avait installé l'un des plus hauts sites de saut à l'élastique du Japon, entre les Mamelons, surplombant la vallée qui formait un creux entre les deux seins. Je l'avais vu par hasard aux informations quelques années plus tôt. Impossible de rater les bannières d'un rose vif pétant qui clamaient *Bienvenue au village du saut à l'élastique !* de chaque côté de l'étroite route de montagne à peine assez large pour une voiture. Il y avait aussi un grand panneau incongru. A coup sûr, Néocon avait quelque chose à voir avec tout ça.

En descendant du bus, j'ai montré la fiche *Je vous remercie* au chauffeur pour lui dire au revoir. Devant moi, les mots *Bienvenue au village du saut à l'élastique !* dansaient dans le vent.

Le ciel nuageux laissait échapper des gouttes de pluie éparses. La jarre de saumure sous le bras droit, mon panier fermement serré dans la main gauche, je me suis mise en marche vers la maison familiale.

En cours de route, prise d'un besoin pressant, je me suis arrêtée dans les buissons. Dans ce village de moins de cinq mille habitants, on rencontrait rarement quelqu'un sur les chemins de montagne. Alors que j'urinais vigoureusement, une petite grenouille verte a surgi de nulle part et m'a regardée fixement. J'ai tendu la main vers elle et elle a avancé ses pattes froides, s'accrochant à ma paume.

J'ai fait mes adieux à la grenouille et me suis remise en route. Sur le chemin bordé de cèdres, un écureuil, sa queue touffue bien dressée, s'est enfui devant moi.

Petit à petit, les Mamelons se sont rapprochés. Une poussée d'adrénaline est montée du plus profond de mon corps.

La jarre de saumure dans une main et le panier dans l'autre, je suis restée un moment immobile devant la maison. Les gens du village l'avaient surnommée le Palais Ruriko. Ruriko, c'est le prénom de ma mère. Sur un vaste terrain, outre la maison, il y avait le bar *Amour* qu'elle tenait, une remise et un potager. Les jours vécus ici avec ma mère se superposaient en de multiples couches, comme un millefeuille.

Devant le portail, un grand palmier chanvre, sans doute planté récemment, penchait sur le côté, maussade. Peut-être que l'environnement ne lui convenait pas, les feuilles les plus basses, déjà fanées, avaient viré au marron. Ce terrain isolé, défriché au cœur de la forêt, appartenait au départ à l'amant de ma mère, mieux connu sous le nom de Néocon.

Une espèce de château aux couleurs mornes, comme si on l'avait soigneusement saupoudré de cendres, pour lequel on avait dépensé de l'argent uniquement là où cela se voyait. Aujourd'hui encore, si j'avais pu raser tout ça, avec un bulldozer par exemple, j'aurais réduit l'ensemble en miettes avec plaisir.

Néocon était le PDG de Negishi Tsuneo Construction, une entreprise à la réputation locale, et son surnom de Néocon lui collait à la peau depuis l'école primaire, semblait-il. Je n'ai jamais connu mon père, mais je n'espère qu'une chose, c'est que ce n'est pas lui.

Je suis passée sans faire de bruit devant la maison et le bar *Amour*, pour éviter d'éveiller l'attention de ma mère, et j'ai filé tout droit vers le potager à l'arrière.

J'avais parié sur une chose.

Si j'arrivais à mettre la main sur ses économies, j'irais refaire ma vie ailleurs. Ma mère ne faisait absolument pas confiance aux banques, elle gardait enfouie dans le potager une bouteille de champagne remplie d'argent. Je le savais parce que je l'avais vue faire, une nuit, par hasard. Mais si je ne la trouvais pas...

Je suis entrée dans le potager. Le ciel était de plus en plus sombre, des gouttes de pluie clairsemées frappaient le sol comme des grêlons. Il allait pleuvoir pour de bon.

Ma mère n'avait jamais manifesté le moindre intérêt pour l'agriculture, et pourtant, des légumes poussaient dans le potager. Peut-être qu'un de ses autres amants que Néocon s'en occupait. Devant moi se déployaient de larges feuilles de taro. Il y avait aussi des poireaux et des radis blancs, des carottes. Une subite envie de cuisiner s'est emparée de moi. Mais ce n'était pas le moment.

J'ai commencé à creuser au pied de l'épouvantail qui n'avait pas l'air à sa place ici.

La plupart des gens auraient pensé que personne ne pouvait avoir eu l'idée d'enterrer quelque chose de précieux à un endroit aussi évident. Mais ma mère était justement du genre à miser là-dessus, c'était tout elle.

Contre toute attente, ce qui a surgi des entrailles de la terre, c'est la boîte à trésors autrefois enfouie par mes soins.

Je ne l'ai pas réalisé tout de suite à cause de la boue dessus, mais plus je frottais la terre qui la recouvrait, plus cette boîte à biscuits me rappelait quelque chose.

J'ai soulevé le couvercle d'une main hésitante.

L'intérieur aussi était tout rouillé.

L'heure des retrouvailles avec de lointains souvenirs avait sonné.

Ce pistolet à eau, je l'avais toujours sur moi. J'y mettais du jus de fruit que je faisais gicler vers ma bouche, le bras tendu, et il me servait aussi à doucher la carapace de tortue achetée à la kermesse, à arroser les fleurs : je faisais tout avec. Le yo-yo, j'y jouais souvent quand je n'avais rien à faire et que je m'ennuyais. Je grimpais sur mon figuier préféré près de la maison et m'installais sur une branche confortable pour jouer au yo-yo, j'aimais bien ça. Un caillou blanc avec *maman* écrit dessus. Quand j'étais de mauvais poil parce que ma mère m'avait grondée, je le lançais contre le sol en béton, c'était un accessoire essentiel pour me calmer. Au dos, des yeux, un nez et une bouche dessinés à la craie grasse suggéraient le visage de ma génitrice.

Il y avait aussi un panda en peluche, le bel emballage doré du premier chocolat de fabrication étrangère que j'avais goûté, une gomme à l'odeur agréablement sucrée, une aile de papillon trouvée par terre, une mue de serpent, des coquilles de palourde gardées après les avoir mangées, tout un tas de choses qui n'avaient plus aucune signification aujourd'hui.

J'étais plantée au milieu du potager avec ces objets entre les mains. En fermant les yeux, ces jours-là me revenaient. L'époque où je faisais tout – goûter, dîner, regarder la télé, faire mes devoirs, prendre mon bain, dormir – absolument tout, toute seule.

Ma mère était continuellement au bar *Amour*, trop occupée à prendre soin des clients en leur faisant miroiter ses charmes.

Et puis, à l'instant où, prise de l'envie de jouer au yo-yo pour la première fois depuis longtemps, je me relevais en enroulant le fil, j'ai entendu du raffut du côté de l'entrée de la maison et une masse ronde et blanchâtre a déboulé à toute vitesse dans ma direction. C'était un cochon, un vrai, celui que je n'avais jamais vu qu'en photo sur les cartes de vœux. Il a chargé droit sur moi, à la manière d'un taureau.

Je n'ai pas eu le temps de dire ouf ! qu'il était déjà devant moi. Depuis que j'avais quitté la maison, ma mère vivait avec lui. Il était bien plus gros que je ne l'avais imaginé d'après les photos et, de près, plutôt impressionnant.

Instinctivement, j'ai couru. Le cochon était plus rapide que je ne l'aurais cru. Trébuchant sur les légumes du potager, manquant de tomber à plusieurs reprises, j'ai fui de toutes mes forces.

J'ai perdu une chaussure en chemin mais j'ai continué à courir. Chaque fois que le groin du cochon me frôlait les fesses, je tressaillais de peur, craignant qu'il me dévore. Le porc est un animal omnivore, il peut très bien manger de la chair humaine. J'étais couverte de boue. Je ne suis pas d'une constitution très robuste et le souffle m'a vite manqué, j'étais épuisée.

Mais le pire était encore à venir. Alertée par le vacarme, ma mère est arrivée, hurlant à pleins poumons : « Au voleur ! Au voleur ! » Comme elle travaille tard le soir, elle devait encore être en train de dormir à cette heure-là. En déshabillé de dentelle, des bottes noires aux pieds et une faucille à la main, elle fonçait dans ma direction. Elle n'avait pas encore réalisé que c'était moi.

Avec dix ans de plus et sans la moindre trace de maquillage, son visage aux traits saillants semblait celui d'un travesti entre deux âges qui serait passé sous le bistouri d'un chirurgien esthétique. Incapable de parler, je me suis défendue en silence. L'odeur de la terre et le parfum de ma mère se mélangeaient, me soulevant le cœur.

J'étais à terre ; à l'instant où elle s'apprêtait à abattre la faucille sur mon abdomen, ma mère à la vue basse m'a reconnue.

J'ai repris mes esprits. Il pleuvait des trombes, le vent rugissait, c'était une vraie tempête. Nous étions trempées. Ma mère ne portait pas de soutien-gorge, ses seins transparaissaient sous le tissu fin de son déshabillé. Elle avait toujours une aussi forte poitrine, digne des Mamelons.

Ayant complètement oublié l'existence de mes fiches, les fesses dans la boue du potager, je la contemplais, bouche bée. Ses épaules se soulevaient au rythme de son souffle saccadé et son haleine s'élevait de sa bouche en nuages blancs, telles les flammes exhalées par un monstre.

Un instant, nous nous sommes regardées, les yeux dans les yeux. Puis elle est repartie vers la maison sans un mot.

C'est arrivé au moment où elle atteignait la porte. Elle s'est retournée et ses lèvres ont remué.

Le cochon la suivait à petits pas en agitant sa queue en tire-bouchon.

J'étais couverte de boue de la tête aux pieds.

Non seulement je n'avais pas trouvé les économies de ma génitrice comme je l'espérais, mais en plus je m'étais fait pincer, c'était la cata. Plus question de repartir à zéro dans une contrée lointaine. Eh oui, je n'avais même pas de quoi payer le minibus pour retourner à la gare routière. Le seul endroit qui me restait, c'était ici.

Je me suis relevée, résignée. J'ai remis la boîte à trésors dans le trou d'où je l'avais sortie, je suis allée récupérer ma chaussure et, la jarre de saumure dans une main et mon panier dans l'autre, je suis entrée dans la maison à contrecœur. Dans ma bouche, le goût de la boue était de plus en plus fort.

Ma maison natale, où je remettais les pieds pour la première fois en dix ans.

Le cochon vivait dans une soue grandiose construite à côté du bâtiment principal.

Sur la porte était fixé un panneau, avec en gros caractères HERMÈS.

Après m'être lavée, en buvant à petites gorgées le café soluble âcre et tiède que ma mère m'avait servi, j'ai dialogué avec elle en écrivant au dos des prospectus livrés avec le journal. Elle m'avait prêté un de ses pyjamas. L'odeur pénétrante de son parfum imprégnait jusqu'aux fibres du tissu.

Pour une raison qui m'échappait, ma mère aussi restait muette ; avec des stylos à bille de couleurs différentes, nous avons enchaîné les phrases au dos des prospectus.

Je l'avais complètement oublié, mais elle avait une belle écriture. Quant à moi, la nervosité et le malaise m'empêchaient de tenir correctement mon stylo et j'étais incapable d'aligner autre chose que des caractères minuscules et informes, pareils à des vers de terre moribonds.

Assises de part et d'autre d'une table chauffante, nous écrivions à tour de rôle. Entre ma mère et moi s'élevait une muraille faite de dix années accumulées, si haute que le sommet en restait invisible.

Au son de la pluie battante qui claquait comme des coups de fouet, nous avons continué d'écrire pendant plus d'une heure.

En résumé, je n'avais pas le sou. Par acquit de conscience, je lui ai demandé de me prêter de l'argent, mais, comme je m'y attendais, elle a refusé tout net. Malgré ce, au fond d'elle-même, elle ne semblait pas prête à laisser sa fille à la rue. Elle a accepté, de mauvaise grâce, que je revienne à la maison.

A la condition que je m'occupe d'Hermès.

Bien entendu, je devais en plus payer ma nourriture, mes charges et un loyer.

Pour cela, il fallait que je travaille. Mais trouver du travail dans ce trou perdu... Même le poste de responsable du saut à l'élastique était à coup sûr convoité par une longue liste de candidats.

Désemparée, je réfléchissais quand soudain une idée m'est venue. Et si j'utilisais la remise de la maison pour ouvrir un petit restaurant ? On appelait ça une remise, mais il s'agissait d'une ancienne maison d'exposition installée là par Néocon, elle était solide et spacieuse. Pour dire la vérité, c'était un bâtiment bien trop beau pour servir de remise.

Et puis, chercher du travail, d'accord, mais je ne savais rien faire, à part la cuisine.

Mais cuisiner, ça, oui, c'était dans mes cordes. On pouvait me faire confiance.

Et si jamais il m'était donné de cuisiner dans ce village paisible au cœur des montagnes, j'arriverais peut-être à m'ancrer enfin dans la réalité, à vivre pleinement. Je le sentais, cette certitude jaillissait du plus profond de moi, comme du magma en fusion.

Mes meubles, mes ustensiles de cuisine, mes économies, tout ce que je possédais, je l'avais perdu. Mais il me restait mon corps.

Le *kimpira* de pétasite du Japon aux prunes séchées, la bardane mijotée avec une bonne dose de vinaigre, le *barazushi* de riz vinaigré aux petits légumes, le flan salé *chawan-mushi* au bouillon fondant et goûteux, le flan au lait aux blancs en neige, les gâteaux à la poudre de soja grillé cuits à la vapeur et bien d'autres recettes encore, héritées de ma grand-mère, étaient vivantes en moi.

Salon de thé, bistrot, grill de brochettes, resto bio, café chic, restaurant turc… l'expérience accumulée dans tous ces établissements était imprimée dans ma chair et mon sang, incrustée sous mes ongles, au même titre que les années.

Même si on m'arrachait mes vêtements et qu'on me laissait nue comme un ver, je serais encore capable de cuisiner.

La plus grande décision de ma vie une fois prise, j'ai supplié ma mère :

Est-ce que tu veux bien mettre la remise à ma disposition ? Je travaillerai de toutes mes forces. S'il te plaît.

Après avoir ajouté cette phrase, je lui ai tendu la feuille avec déférence.

Puis j'ai fermement collé les paumes de mes mains sur les tatamis et je me suis profondément inclinée, le plus sincèrement qui soit.

Va jusqu'au bout, ne baisse pas les bras.

Lorsque j'ai relevé la tête, ces mots tracés de l'écriture fluide de ma mère m'ont sauté aux yeux.

Elle a attendu que je finisse de lire puis elle est partie vers sa chambre en bâillant.

Voilà, j'allais devenir chef cuisinier dans ce paisible village de montagne.

Ma mère avait accepté de me prêter, à un taux quasi usuraire, les fonds pour m'installer.

Cela faisait longtemps que je rêvais d'ouvrir mon propre restaurant.

Tout perdre, y compris mon petit ami, avait été un coup terrible, mais, malgré tout, ce serait le point de départ d'un grand pas en avant dans ma vie. La veille encore, j'étais loin de soupçonner la possibilité d'un tel rebondissement.

J'ai gagné ma chambre, pour la première fois depuis bien longtemps. Je pensais que ma mère aurait tout bazardé, mais non, la pièce n'avait pas changé. J'ai ouvert un tiroir et y ai découvert mon survêtement de l'école. Je l'ai enfilé à la place du pyjama qu'elle m'avait prêté. Le pantalon et la veste rouge vif avec une bande blanche sur les côtés étaient un peu serrés, mais, dix ans plus tard, ils m'allaient encore.

Je suis immédiatement allée ranger dans la cuisine la saumure que j'avais rapportée, dans un endroit frais et bien aéré.

Comme toujours, la cuisine sur laquelle régnait ma mère était dans un état déplorable. L'évier pas net, des restes de nourriture sur l'éponge destinée à la vaisselle. Les détritus n'étaient pas correctement triés non plus. Sur la table, des paquets de nouilles instantanées qu'on ne trouvait que dans la région traînaient en désordre.

Il y avait une différence criante avec la cuisine soigneusement entretenue de ma grand-mère. J'ai entrouvert un tiroir, de vieilles algues séchées avaient perdu tout leur brillant, complètement ramollies dans leur emballage transparent. J'ai décidé de faire comme si je n'avais rien vu et j'ai vite refermé le tiroir.

Mais le désagrément causé par ce spectacle était supplanté par la joie d'avoir retrouvé la jarre de saumure intacte, qui réchauffait ma poitrine comme de l'eau agréablement tiède. Honnêtement, ma tension avait été telle jusque-là que je n'avais même pas eu l'occasion de m'en réjouir.

La saumure héritée de ma grand-mère.

Ce n'était pas rien.

Elle avait réchappé aux tremblements de terre et à la guerre.

Un jour où je regardais le contenu de la jarre à ses côtés, ma grand-mère m'avait fièrement raconté son histoire. Née au début du XXe siècle, elle l'avait elle-même héritée de sa mère, ce qui voulait dire que cette saumure avait été transmise de génération en génération sans doute depuis l'ère Meiji, peut-être même depuis l'époque d'Edo. Impossible de confectionner la même aujourd'hui, ou de s'en procurer. Il suffisait d'y glisser les légumes pour qu'ils se réjouissent et deviennent un régal : c'était une jarre magique.

Depuis qu'elle était entre mes mains, j'y ajoutais les copeaux de bonite et les petits poissons séchés qui m'avaient servi à préparer du bouillon pour la soupe, ou des pelures de mandarine, que je mélangeais consciencieusement à la saumure. Parfois, je lui donnais de la bière ou du pain de mie pour activer la lactofermentation. Chaque être humain est porteur de lactobacilles différents, et ceux qu'on trouve sur la paume des femmes, *a fortiori* des femmes qui viennent de donner naissance à un enfant, sont plus actifs que ceux des hommes, m'avait fièrement expliqué ma grand-mère un jour.

J'ai délicatement soulevé le couvercle de la jarre de saumure ; c'était l'odeur de ma grand-mère.

Dès que la pluie s'est arrêtée, je suis allée me promener dans les environs, pour la première fois depuis longtemps.

Dans ma tête, les idées pour le restaurant que j'allais ouvrir commençaient déjà à prendre forme. Ce n'était pas le moment de dormir, mon esprit bouillonnait, je n'avais pas du tout sommeil. Et puis, il y avait un arbre auquel je voulais avant tout rendre visite.

Me frayant un passage sur la sente derrière la maison, j'ai gravi d'une traite la côte vers ce lieu de mon enfance. C'est une petite colline sur laquelle se dresse un figuier d'une taille exceptionnelle. En dix ans, je n'avais pas eu une seule fois envie de voir ma mère, mais ce figuier, lui, m'avait manqué, et je l'avais cherché en rêve à de multiples reprises.

Mes confidentes n'avaient été ni ma mère ni mes camarades de classe, mais la nature et la montagne.

A vingt-cinq ans, je pesais plus lourd qu'autrefois, mais je suis quand même parvenue à grimper à l'arbre comme avant. Dix années s'étaient écoulées et son tronc s'était un peu épaissi. Ses branches étaient devenues plus robustes. J'ai eu l'impression que le figuier aussi se réjouissait de nos retrouvailles.

J'ai approché mon oreille du tronc, il était un peu tiède. Les branches, pareilles à celles d'un sapin de Noël richement décoré, étaient chargées de fruits vert jade. J'ai tendu la main et effleuré une figue du bout des doigts, elle était bien ferme, tel le dos d'un enfant roulé en boule, les genoux serrés entre ses bras.

Le ciel était voilé de nuages fins et translucides, comme une pellicule d'oignon plaquée contre le firmament. Les arbres et les végétaux, lavés par la pluie, brillaient de mille feux.

Malgré la construction du site de saut à l'élastique, le paysage n'avait quasiment pas changé en dix ans.

J'ai sorti de ma poche une paire de ciseaux. De la main gauche, j'ai tenu ma frange entre mes doigts et, avec les ciseaux serrés dans ma main droite, je l'ai coupée court, d'un geste ferme. Dans un crissement agréable, mes cheveux se sont détachés de mon corps.

Je ne me suis pas arrêtée à la frange, j'ai aussi cisaillé à grands coups sur les côtés et derrière, les mèches rassemblées en paquets dans ma main gauche. Je souhaitais m'alléger, ne serait-ce que d'un milligramme. J'ai laissé glisser les cheveux sur la paume de ma main, ils se sont écoulés entre mes doigts, emportés par le vent, avant de se disperser au sol.

Pas besoin d'avoir les cheveux longs pour faire la cuisine. J'ai continué à tailler, tout en me coiffant avec les doigts. En un clin d'œil, la chevelure qui m'arrivait au milieu du dos a laissé place à une coupe courte. Je sentais ma tête devenir de plus en plus légère.

Les cheveux bien courts, je contemplais les Mamelons dressés au loin en balançant paresseusement les jambes.

— Salut !

Soudain, une voix d'homme m'est parvenue d'en bas.

J'ai jeté un coup d'œil entre les énormes feuilles du figuier ; au pied de l'arbre, en combinaison de travail beige, se tenait mon vieil ami Kuma. Avec son visage rugueux comme un roc, il était impressionnant, mais c'était une bonne pâte. On disait que son vrai nom était Kumakichi mais les gens du coin l'appelaient tout simplement Kuma.

A mon époque, il était vacataire à l'école primaire et c'était notre héros. Déneiger les chemins qui menaient à l'école, mettre la dernière main aux préparatifs de la fête sportive annuelle, changer les vitres cassées, tout cela relevait du domaine de Kuma.

— Mais qu'est-ce que je vois ? Ce ne serait pas la petite Rinco ?

Instantanément, j'ai senti quelque chose tourner à l'aigre dans mon corps.

Je déteste le prénom qui m'a été donné par ma mère. Rinco, l'enfant de l'adultère. Me donner ce nom parce que mon père était un homme marié, c'est vraiment immonde. Encore heureux qu'avec l'accent des gens d'ici, on entende *Ringo* (pomme) davantage que *Rinco*.

Kuma est venu se poster juste sous mes pieds et il m'a dévisagée :

— T'as bien grandi, t'es devenue une sacrée belle plante !

J'ai vite sorti mes fiches cartonnées de mon panier.

Pour certaines raisons, je n'ai plus de voix en ce moment.

J'ai montré à Kuma, en bas, la dernière fiche du paquet.

Il s'est dépêché de sortir des lunettes de la poche de devant de sa veste et s'est attelé à déchiffrer la phrase, mais soit les caractères étaient trop petits, soit il ne comprenait pas ce qui était écrit, car il m'a regardée une nouvelle fois. Et puis, comme si ça lui revenait à l'esprit, il a dit : « Le loir. »

J'ai sauté à bas du figuier et je me suis assise à côté de lui sur la terre humide, les bras autour des genoux. Le soleil d'automne déversait ses rayons tièdes sur nos visages, telles des gouttes d'eau s'échappant d'un arrosoir. Comme si la pluie battante un instant auparavant n'avait jamais existé.

Le loir.

Pourquoi pleurais-je comme une Madeleine ce jour-là ? Je sanglotais, toute seule dans un des couloirs de l'école, lorsque Kuma, qui passait par là, m'a adressé la parole. Puis il m'a portée sur son dos, m'emmenant sans hésiter dans la loge du gardien où les élèves n'avaient normalement pas le droit de pénétrer. Chez moi, il n'y avait pas d'homme, alors, j'ai trouvé le dos de Kuma immense et plein de chaleur.

Dans la loge exiguë et sombre où régnait une odeur particulière étaient entassés toutes sortes d'ustensiles que je n'avais pas l'occasion d'approcher en temps normal. La bouilloire posée sur le poêle laissait s'échapper de petits nuages blancs de vapeur.

— Rinco, tu sais ce que c'est, ça ? a demandé Kuma, alors que je restais plantée là, impressionnée.

Il a sorti d'un placard une marmite à anses, l'a portée doucement jusqu'à moi et a soulevé délicatement le couvercle pour me montrer l'intérieur. Dedans, il y avait une petite bête marron.

— C'est un loir.

— Un loir ? ai-je répondu en parlant du nez.

J'ai dévisagé Kuma, dont le visage s'est plissé en un large sourire. Puis, d'une main, il a vivement saisi le loir qui dormait comme un bienheureux et l'a déposé sur ma paume.

Le loir dormait profondément, sans le plus petit tressaillement. A un moment, je me suis aperçue que je ne pleurais plus.

J'avais complètement oublié cet épisode qui me revenait soudain. Je sentais encore le loir au creux de ma main, comme ce jour-là. Depuis, Kuma et moi, nous étions amis.

J'ai pris les fiches qu'il me tendait, j'en ai choisi une et lui ai rendu le paquet.

Comment allez-vous ?

Il a hoché la tête plusieurs fois en silence, puis il a entrepris de me raconter ce qui s'était passé au village et dans sa vie à lui durant mon absence.

Pendant que je vivais en ville, Kuma s'était marié, paraît-il. Sa femme, une Argentine, était gentille, et belle, en plus, m'a-t-il expliqué, les yeux brillants.

Il l'appelait Siñorita. Je pense qu'il voulait sans doute dire Señorita, mais, était-ce son accent ou une erreur de vocabulaire, à mes oreilles, le mot sonnait comme Siñorita.

Siñorita était, semble-t-il, beaucoup plus jeune que Kuma.

Après leur mariage, ils s'étaient installés dans la maison familiale avec la mère de Kuma. Et ils avaient immédiatement eu un enfant. Il m'a montré la photo d'une adorable fillette aux yeux immenses.

Mais la vie de famille idéale n'avait pas duré longtemps. Les relations entre la belle-mère et la bru s'étaient dégradées et, un beau jour, Siñorita, dont les préférences allaient à la ville depuis toujours, avait quitté le village avec leur fille.

Kuma était un vrai campagnard, dont les ancêtres avaient toujours vécu ici. Il connaissait les montagnes sur le bout des doigts, mais, sorti de là, il ne savait pas grand-chose. Il ne se voyait pas vivre ailleurs que dans son village natal.

Et puis, il ne pouvait pas abandonner sa mère âgée. Il avait donc renoncé à se lancer à la poursuite de sa Siñorita bien-aimée et choisi de rester dans son paisible village de montagne. Il vivait maintenant avec sa vieille mère et une « séduisante chèvre d'âge mûr », pour reprendre ses propres termes, avec qui il partageait le quotidien terne d'une famille composée de deux humains et un animal.

Kuma s'est soudain levé et a sorti de la poche de devant de sa combinaison de travail des marrons d'Inde, qu'il m'a offerts. Ils étaient tout ronds, bien joufflus et luisants ; j'en ai fait rouler deux au creux de ma main, ils se sont cognés avec un petit claquement sec, comme des castagnettes.

J'ai vite sorti les fiches de mon panier et, après avoir cherché la bonne, je l'ai tendue à Kuma.

Je vous remercie.

Il m'a souri, l'air de dire, ce n'est rien, puis il est reparti par le sentier, son large dos se balançant au rythme lent de ses pas.

Sa démarche, avec la jambe gauche qui traînait un peu, résultait, paraît-il, d'une rencontre musclée avec un ours noir d'Asie. C'était l'un des hauts faits de Kuma.

— Les marrons d'Inde, macérés dans de l'eau-de-vie, c'est bon pour soigner les coupures, tu sais !

Au milieu du sentier, il s'est soudain retourné et m'a crié ça. Un sourire plissait son visage tout rond, comme le jour où il m'avait montré le loir.

Je me suis levée pour aller vers le ruisseau qui coulait près du figuier. Tout à l'heure, je m'étais coupé les cheveux sans l'aide d'un miroir et je voulais voir ce que ça donnait. Je me suis agenouillée dans les herbes folles et j'ai lancé un coup d'œil timide à la surface de l'eau ; je me suis vue avec mes cheveux très courts.

Ça me changeait beaucoup, mais c'était quand même bien moi. J'ai passé la main dans mes cheveux. Alors qu'avant mes doigts se prenaient dans ma chevelure, là, ils rencontraient tout de suite le vide.

C'était pas mal, en fin de compte. Je me sentais toute légère, comme des blancs battus en neige.

J'ai puisé de l'eau dans mes mains jointes et je l'ai bue, elle était douce et légère. Après avoir de nouveau arrangé ma coiffure avec mes doigts mouillés, je me suis relevée. Les rayons de soleil qui se glissaient entre les feuilles du figuier dansaient sur le lit du ruisseau.

J'ai décidé de me promener au hasard dans le village.

J'ai repris le même chemin qu'à la descente du bus ; toutes les dix minutes environ, un hurlement retentissait. Au début, interloquée, je me suis demandé si quelqu'un se faisait agresser, mais j'ai fini par réaliser que c'étaient les cris qui se réverbéraient au fond de la vallée où se trouvait le site de saut à l'élastique.

Les mantes religieuses, les akébies à cinq feuilles, les grandes pimprenelles, rien n'avait changé. La chambre d'hôtes et le gîte, même si leur façade était un peu plus sale et fatiguée, étaient toujours en activité, comme le prouvaient les serviettes mises à sécher aux fenêtres. La statue du *jizô* au bord de la route portait un bavoir propre, des chrysanthèmes aux couleurs vives, leurs pétales bien dressés, étaient arrangés dans un verre à saké. La surface des gâteaux déposés en offrande était bien brillante.

Les bains publics en bord de rivière. La boîte de striptease toute décrépite. Les distributeurs automatiques.

Chaque élément du paysage éveillait en moi des souvenirs émus, mais en même temps, j'avais envie de tout envoyer balader d'un revers de main.

J'ai traversé la route, m'engageant dans l'allée commerçante couverte avec ses quelques magasins. Çà et là, la toiture avait rouillé et des plaques s'en étaient détachées, laissant apercevoir le ciel bleu. Autrefois, cet endroit était une prospère station thermale. Quelques décennies plus tôt, la vogue des petites sources thermales cachées lui avait valu une notoriété inattendue, les touristes avaient afflué de tout le pays. Mais, faute de transports en commun et d'établissements pour accueillir les hordes de visiteurs, le village avait peiné à répondre à la demande et le succès n'avait pas duré.

Bien qu'il fasse encore jour, le rideau de fer de la plupart des magasins était baissé. Subitement, je me suis rappelé le poupon en celluloïd que chérissait ma grand-mère. Quand on le couchait, il vagissait et fermait les yeux. Mais ses paupières n'étaient jamais parfaitement closes.

Comme les yeux de cette poupée, le bas des rideaux de fer de la rue commerçante restait entrouvert. Sans doute les magasins avaient-ils cessé leur activité, mais les propriétaires y vivaient encore. J'ai avancé lentement, en examinant chaque boutique de l'extérieur.

Aux abords de l'unique pâtisserie occidentale du village, des effluves lourds et sucrés s'échappaient de la bouche d'aération. Derrière la vitrine légèrement embuée, les fraisiers et les savarins s'alignaient comme autrefois, pareils à des échantillons. C'était un flan aux œufs de cette pâtisserie que ma mère, ivre, avait une fois tenté de m'enfourner de force dans la bouche alors que j'étais au lit. Le propriétaire avait peut-être pris sa retraite, la boutique était tenue par une femme que je ne connaissais pas.

A côté de la pâtisserie se trouvait un restaurant de côtelettes panées *tonkatsu*. Mais il était fermé. Un avis de décès bordé de noir était accroché au rideau de fer, avec dans la marge, griffonné au stylo-bille : *Fermé jusqu'à nouvel ordre*. La date remontait déjà à l'année dernière.

Comme le restaurant de *tonkatsu*, la librairie et l'opticien avaient été liquidés. Un vidéoclub avait remplacé la librairie, mais il ne proposait guère de films ordinaires, près de l'entrée, les vitres étaient couvertes de posters de filles en sous-vêtements.

Seul le distributeur automatique du planning familial, dressé à côté de la boutique comme une boîte à lettres solitaire, n'avait pas changé.

De l'autre côté de la rue, en diagonale, l'unique supermarché du village, où l'on trouvait tous les produits du quotidien, était certes désert mais toujours là.

On aurait dit une ville de province de jadis, assoupie au fond de l'eau, où le temps s'était arrêté. Les néons du supermarché Yorozuya clignotaient comme des appareils de réanimation.

Malgré tout, à première vue, je ne risquais pas de manquer de victuailles.

Dans les rizières en terrasses, les plants de riz ployaient sous le poids des épis dorés tandis que dans la vallée, on récoltait tellement de légumes qu'il y avait même de quoi nourrir les animaux. Nul besoin d'acheter un filtre à eau ou de l'eau minérale comme en ville, il suffisait d'aller à la source la plus proche pour puiser vingt-quatre heures sur vingt-quatre une délicieuse eau fraîche.

Dans les immenses élevages, il y avait des vaches, des chèvres et des moutons. Le lait frais ne manquait pas. Je pourrais même essayer de fabriquer du fromage. Un peu plus loin, il y avait aussi des élevages porcins et avicoles où m'approvisionner en viande de porc ou de poulet et en œufs frais. Pour couronner le tout, la saison du gibier allait commencer. Si je faisais appel à eux, les chasseurs accepteraient sans doute de partager leurs prises. En plus, même si le village était entouré de montagnes, la mer était proche et, avec une voiture, je pourrais aller acheter du poisson et des coquillages frais.

Les coteaux escarpés du versant opposé étaient couverts de vignes et le vin local n'était pas à dédaigner, loin de là ; comme il y avait aussi du riz et de l'eau, on dénombrait une foule de bons sakés. La région ne devait pas manquer non plus de vergers et de champs d'herbes aromatiques. J'avais le sentiment qu'ici je trouverais des producteurs modestes mais persévérants dans leur volonté d'offrir de bons produits. Pour les denrées difficiles à se procurer à la campagne, comme l'huile d'olive de qualité et autres aliments spéciaux, je n'aurais qu'à passer commande sur Internet. Heureusement, ma mère semblait être connectée comme tout un chacun et, si je le lui demandais, elle consentirait sans doute à me laisser utiliser son ordinateur, contre monnaie sonnante et trébuchante.

Autour de moi, la mer, la montagne, les rivières et les champs.

Une véritable corne d'abondance. Comparé à la ville, c'était un environnement de rêve.

Dans ma tête, les idées pour mon futur restaurant dessinaient des motifs marbrés aux couleurs vives.

Quand j'ai relevé le visage, le soleil était sur le point de sombrer derrière la chaîne de collines, à l'horizon.

Un soleil orange foncé et lisse, comme un jaune d'œuf frais.

Le soleil s'enfonçant entre les immeubles de la ville avait aussi son charme, mais le coucher de soleil, ici, c'était comme si la nature exhibait ses biceps. Devant une telle majesté, les hommes devraient renoncer à essayer de faire plier la nature selon leur bon vouloir. Le corps de mon insignifiante personne était prolongé par une ombre étirée comme un bâton.

Ici et là, au fond des forêts, la nuit commençait à s'installer. Pour éviter d'être surprise par l'obscurité, j'ai pressé le pas, courant sur le chemin pavé.

A cette heure-là, ma mère devait déjà avoir quitté la maison pour le bar *Amour*.

C'est arrivé au cœur de la nuit, alors que l'obscurité régnait en maître.

Après plus de vingt-quatre heures d'affilée passées debout, je dormais, épuisée, quand soudain un hululement m'a réveillée.

Je m'étais apparemment endormie sans fermer les rideaux. Dans le cadre carré formé par un carreau de la fenêtre, une étoile solitaire scintillait faiblement. Sa lueur était si pâle, un éternuement aurait suffi à la faire disparaître.

Sur le coup, je n'ai pas compris que c'était la voix de Papy hibou.

Après tout, cela faisait plus de dix ans que j'avais quitté la maison.

Il ne pouvait pas être vivant, c'était impossible. J'étais persuadée qu'il était mort.

J'ai vite regardé la pendule. Sa précision m'a donné la chair de poule.

Non seulement il était encore vivant, mais il hululait toujours à minuit pile. C'était un miracle.

J'ai compté les hululements. Douze, pas d'erreur.

Papy hibou avait toujours vécu dans le grenier du bâtiment principal. Depuis mon enfance, toutes les nuits sans exception, il hululait précisément douze fois aux douze coups de minuit, hou, hou, hou... Ses cris étaient d'une régularité parfaite, un vrai métronome. Une telle précision, c'était tout simplement surnaturel. Mon cœur d'enfant s'en émerveillait, les animaux étaient fantastiques ! Je m'en souvenais encore.

Ma mère était fermement convaincue que Papy hibou était la divinité protectrice de la maison, et moi aussi, j'y croyais dur comme fer. Personne ne l'avait jamais vu, ce qui lui conférait une aura encore plus sacrée. Mais alors, qu'il soit encore en vie !

Moi, il y a dix ans, j'avais quitté la maison sur un coup de tête et aujourd'hui, malheureuse en amour, j'étais de retour tout aussi inopinément, mais Papy hibou était resté là pendant tout ce temps, poursuivant inlassablement sa mission.

Bref, ce n'était pas trop de dire qu'il était l'un des êtres au monde qui m'inspirait le plus de respect. Bénéficier de sa protection était un puissant soutien.

Maintenant que j'y repensais, quand j'étais petite, durant ces tristes nuits solitaires, il me suffisait de penser à Papy hibou dans son grenier pour me sentir rassurée, et je m'endormais.

Un sentiment de grande sérénité m'a gagnée. Cette fois, j'ai délibérément fermé les yeux. Et c'est ainsi que cette longue journée, qui constituait en elle-même une fin et un commencement et qui, je devais le réaliser plus tard, était à marquer d'une pierre blanche, s'est paisiblement achevée.

A partir de là, chaque jour est passé à la vitesse des faucons fendant l'air dans la gorge qui sépare les Mamelons. Quand je cumulais plusieurs petits boulots dans la restauration, mes journées étaient déjà bien remplies, mais là, j'étais occupée comme jamais je ne l'avais été durant le quart de siècle qu'avait duré ma vie.

Bien entendu, je pensais parfois à mon amoureux et à notre vie commune, mais je n'avais guère le temps de m'appesantir.

Ma journée commençait par les soins à Hermès. Le carnet de croissance que m'avait remis ma mère regorgeait de notes détaillées concernant son alimentation et de recommandations variées. Dans le lot, le plus cocasse était un commentaire sur les rations de nourriture : *Ne pas trop lui donner à manger, sinon elle va devenir grasse comme un* COCHON. Pour ma mère, Hermès était sans doute plus qu'un cochon domestique.

J'étais persuadée que ce nom avait été choisi par ma mère, qui adorait les grandes marques. Mais en fait, il s'agissait d'un néologisme composé du L de Landrace accolé au terme *mesu* qui désigne une femelle : *elmesu*, qu'on pouvait aussi transcrire Hermès.

D'après les livres de ma mère relatifs à l'élevage porcin, le Landrace était une race originaire du Danemark qui avait été améliorée afin de fournir le bacon des œufs au bacon des petits-déjeuners britanniques. Il s'agissait d'un porc élégant, à la robe claire, avec une petite tête et un corps fin, qui, comparé au Large White et au Middle White auxquels il ressemblait, se démarquait par sa figure plus allongée et ses oreilles pendantes.

Effectivement – peut-être le devait-elle en partie à son nom –, Hermès était une truie à la physionomie élégante. On dit que les porcs sont essentiellement des animaux propres et c'est vrai, elle mangeait et faisait ses besoins à des endroits strictement déterminés.

D'après son carnet de croissance, elle était arrivée chez ma mère à l'âge de quatre semaines. Une truie possède en général quatorze pis et, dès leur naissance, les porcelets s'en adjugent un chacun. Les plus forts accaparent les mamelles qui donnent le plus de lait, tandis que les plus faibles, moins bien alimentés, dépérissent.

Le porcelet qui a perdu la bataille et ne peut ni téter ni, plus tard, manger suffisamment, est ce qu'on appelle un avorton ; c'était précisément le cas d'Hermès. Elle ne pesait qu'un kilo à la naissance, à peine plus de trois à son arrivée ici, et elle était, semble-t-il, beaucoup plus petite qu'un cochonnet normal. Elle aurait dû finir à l'abattoir, mais ma mère l'avait recueillie *in extremis.*

On ignorait si le fait était lié à la malnutrition des débuts, mais à quatre mois, l'âge de la puberté pour une truie, Hermès n'avait montré aucun signe de chaleurs. Depuis lors, sans jamais avoir connu la saillie ni avoir mis bas, elle vivait avec ma mère au Palais Ruriko.

Le potager derrière la maison lui était destiné. L'odeur particulière qui y régnait était celle de ses excréments, et c'était grâce à ce tas de fumier que les légumes avaient l'air si appétissants.

Alors qu'elle ne se souciait pas le moins du monde de ce qu'elle donnait à manger aux humains, ma mère nourrissait Hermès exclusivement de produits issus de l'agriculture biologique. Les légumes du potager étaient bien entendu cultivés sans pesticides ni engrais chimiques, et pour le reste, elle lui donnait du maïs et des tourteaux de soja non transgénique. Le pompon, c'était le pain au levain pétri à la main qui constituait son dessert du matin, commandé tout spécialement à une célèbre boulangerie de Tokyo.

Etait-ce parce qu'elle ne mangeait que des bonnes choses, Hermès avait le poil luisant, la queue toujours bien tortillée en tire-bouchon et un air continuellement réjoui, comme si elle souriait.

Mais moi, comme je n'avais pas assez d'argent pour acheter du pain de luxe, il ne me restait plus qu'à le préparer moi-même. C'était justement la saison des pommes. Kuma m'a donné des fruits acides de son jardin, cultivés sans pesticides, et je m'en suis servie pour préparer du levain.

Le soir, je pétrissais la pâte avant de me coucher et au petit matin, levée avec le soleil, je façonnais le pain au chant des oiseaux puis je l'enfournais. C'était du travail, mais préparer du pain était une tâche qui me plaisait et, une fois le processus intégré dans ma journée, ce n'était pas si pénible que ça.

Les premiers temps, comme si elle était sensible aux nuances de goût, de forme et d'ingrédients, Hermès a dédaigné mon pain maison. Elle avait beau n'être qu'un cochon, j'étais déçue qu'elle ne mange pas ce que je lui avais préparé. Du coup, je me suis creusé la tête pour améliorer ma recette. Ayant découvert dans le carnet de croissance tenu par ma mère qu'Hermès adorait les noix et autres fruits de la forêt, j'ai tenté de mélanger des glands à la pâte avant de la faire cuire, et c'était peut-être une bonne idée, car elle a enfin mangé le pain que je lui préparais. Depuis, je mêlais à la pâte au levain toutes sortes de fruits à coque ramassés en forêt, et mon pain plaisait à Hermès. Peu à peu, je me sentais plus proche d'elle.

Lorsque je regardais l'énorme Hermès, qui pesait au bas mot cent kilos, mastiquer voracement et bruyamment mon pain fait maison, cela me faisait tout drôle, comme si j'étais devant une petite sœur du même sang que moi. J'en voulais à ma mère de la chérir, mais, pour une raison qui m'échappait, je n'éprouvais pas de jalousie envers Hermès, objet de l'adoration maternelle.

Pendant qu'Hermès engloutissait sa pitance, j'enfilais des bottes en caoutchouc et nettoyais la soue.

Comme les cochons adultes ont tendance à avoir chaud, le haut de la porcherie était ouvert pour laisser l'air circuler. L'hiver, les ouvertures étaient obturées par des plaques en plastique pour lutter contre le froid mais, une fois par jour, il fallait toutes les enlever pour aérer. Le sol en béton était couvert de sciure et de balle de riz, que je balayais chaque matin avec les déjections ; je mettais le tout dans un seau que j'allais vider sur le tas de fumier du potager.

Quand j'avais fini, j'avalais un petit-déjeuner rapide, puis je m'attelais aux préparatifs d'ouverture du restaurant. Dès le départ, il était clair dans ma tête que ce serait un restaurant. Ni un café ni un bar ni un grill, mais un *restaurant*.

Coudre des nappes avec des chutes de tissu, aller en ville chercher des chaises à mon idée, emprunter l'ordinateur de ma mère pour commander des ustensiles de cuisine sur Internet, chaque jour, j'avais une foule de choses à faire.

Et pendant tout ce temps, je n'ai pas prononcé pas un seul mot. Je m'exprimais uniquement par écrit, ou par des gestes et des mimiques. J'étais débordée, mais c'était une période exaltante.

Et puis il y avait Kuma, qui m'aidait de tout son cœur dans mes préparatifs. Kuma qui vivait ici depuis toujours, connaissait tout le monde et savait tout sur la nature. Il était pour moi, dans ce village où je n'avais pas mes habitudes, un véritable conseiller. Si j'avais un problème, je n'avais qu'à lui en parler, il trouvait presque toujours la solution.

Pour la décoration intérieure du restaurant, nous avons presque tout fait à nous deux.

Jouer de la tronçonneuse, transporter du bois, planter des clous, je confiais les travaux de force à Kuma, tandis que moi, je m'occupais de peindre, cirer ou poser du carrelage. Il nous venait toujours une idée d'amélioration, et nous avions beau travailler tous les deux jusqu'à la tombée de la nuit, il restait toujours des choses à faire.

Dans les montagnes, autour de nous, les feuillages des arbres changeaient de couleur et les jours raccourcissaient de façon palpable.

Mon restaurant, je voulais en faire un endroit à part, comme un lieu déjà croisé mais jamais exploré.

Comme une grotte secrète où les gens, rassérénés, renoueraient avec leur vrai moi.

Au bout d'environ un mois d'efforts, le restaurant était prêt, assez proche de l'image que j'avais en tête.

J'avais recouvert le sol en ciment de plaques de liège puis de dalles de terre cuite et, en prévision de l'hiver, pour isoler, j'avais disposé par-dessus un joli kilim aux couleurs chaudes. Kuma m'avait donné une solide table ancienne, autrefois fabriquée par son père – il avait été menuisier – dans du bois de châtaignier. D'un style original, ni vraiment occidental ni vraiment oriental, elle avait pris une belle patine châtain clair.

Les chaises, je les avais trouvées chez un brocanteur du quartier. D'abord utilisées, paraît-il, dans une salle de concert, elles n'étaient pas très hautes, avec une assise en paille. J'avais peint les parties en bois en bleu turquoise, et cela donnait des chaises charmantes.

Le plâtre des murs avait été badigeonné de plusieurs couches de peinture naturelle couleur coquille d'œuf pâle tirant sur l'orange. Grâce à l'entremise de Kuma, un artiste étranger séjournant au village avait peint, d'un trait léger à la manière de Cocteau, une déesse Kannon ailée comme un ange sur tout le mur du fond. Telle une fresque qui aurait été là depuis des temps immémoriaux, cette peinture se fondait parfaitement dans l'ensemble.

Kuma avait aussi récupéré, au collège désaffecté de la ville d'à côté, un poêle à bois. Mais mon objet préféré, c'était un lustre à bougies en verre soufflé à la bouche, datant de l'ère Taishô, qui dormait dans la remise attenante à la maison de la voisine de Kuma.

Une seule table me suffisait, mais je tenais absolument à installer, en plus, un canapé-lit. Si, après le repas, un client avait sommeil, il pourrait s'y allonger et cela permettrait à ceux venus en voiture et qui avaient bu de l'alcool de se reposer. Et puis, si jamais je me disputais avec ma mère et qu'elle me chassait de la maison, c'était rassurant de savoir que j'avais un endroit où dormir au restaurant.

Le canapé-lit, je l'avais fabriqué en alignant des caisses à vin. Un supermarché qui avait ouvert ses portes dans une ville voisine me les avait gracieusement cédées, et Kuma les avait rapportées, empilées sur le plateau de sa camionnette. Je les avais recouvertes d'un petit matelas dans un imprimé rustique à fleurs, trouvé sur un site de vente sur Internet. Dans le même tissu, j'avais fabriqué des housses pour les coussins disposés sur le matelas. En guise de couverture, un tartan australien.

Dans les toilettes aux murs entièrement carrelés, j'avais représenté, avec des carreaux de couleurs différentes, un couple d'oiseaux. Cela avait un petit côté art primitif et, pour une création improvisée, c'était plutôt réussi. Le repas pouvait être divin, si les toilettes étaient sales, cela fichait tout en l'air. J'avais économisé sur le reste mais, pour les toilettes, j'avais dépensé sans compter, investissant dans le modèle le plus récent, équipé d'une douchette. Avec une petite fenêtre ouverte dans le mur, c'était devenu un espace où l'on pouvait vraiment se détendre.

Dans l'allée qui reliait la route au restaurant, j'avais écrit *welcome* avec des petits cailloux de couleurs variées ramassés dans le lit de la rivière et, sur les bas-côtés, j'avais repiqué de jeunes plants de framboises, de myrtilles et de baies sauvages, mes préférées. Enfin, j'avais demandé au maçon du village d'enduire la façade avec un mélange de vieilles tuiles concassées et de mortier, d'un rose profond, puis j'y avais incrusté, en guise de décoration, des coquillages ramassés sur la plage la plus proche.

La porte d'entrée, qui détermine en grande partie l'image d'un restaurant, je l'avais achetée aux enchères sur Internet. La maison modèle installée par Néocon disposait évidemment d'une porte, mais en aluminium, et elle déparait. Celle que j'avais choisie était marron foncé et en forme de U inversé, de fabrication française, et j'y avais cloué, comme bouton de porte, un morceau de métal ramassé dans la montagne dont la forme rappelait plus ou moins celle d'un lézard.

J'étais plutôt contente de l'ambiance, même si Kuma et moi avions tout fait en un temps record. Après, une fois que le restaurant aurait ouvert, on pourrait toujours parfaire la décoration petit à petit.

La cuisine, mon lieu de travail, était, grâce à Kuma, encore plus réussie que je ne l'imaginais. Sans plus attendre, j'ai transféré la jarre de saumure emportée avec moi de la cuisine crasseuse de ma mère à la mienne, immaculée.

Ce que j'attendais avant tout de ma cuisine, c'était qu'elle soit lumineuse, propre et commode.

Comme j'utilisais le strict minimum d'appareils ménagers, je n'avais besoin ni de lave-vaisselle, ni de four à micro-ondes, ni d'autocuiseur à riz. Le réfrigérateur, l'évier, la gazinière et le four, vraiment indispensables, j'avais pu les racheter à moindre prix à un restaurant chinois du village qui venait de faire faillite.

L'évier, par exemple, brillait comme s'il était neuf et, par chance, s'adaptait exactement à ma taille, bien que je sois petite. La hotte, fabriquée de bric et de broc en recyclant des seaux en fer-blanc, était rigolote. Et comme nous avions abattu le mur ouest pour le remplacer par une baie vitrée, j'allais pouvoir cuisiner baignée dans une splendide lumière.

Il suffisait d'ouvrir la porte-fenêtre pour accéder de plain-pied au carré d'herbes aromatiques que j'avais planté. Kuma avait fixé au plafond une poutre venant d'un arbre abattu pour éclaircir la forêt, à laquelle je pourrais accrocher librement des paniers fabriqués en lianes cueillies dans les montagnes, par exemple.

Au fil de mes petits boulots, j'avais vu un bon nombre de cuisines, mais une aussi parfaite, jamais. Avec l'argent emprunté à ma mère, j'avais même pu acheter des couteaux de professionnel et me constituer une batterie d'ustensiles indispensables.

En matière de vaisselle, c'était limité, mais ce que j'avais me plaisait.

D'ailleurs, cette vaisselle me venait de ma mère, qui m'avait donné ce qui encombrait ses placards. Toutes ces choses dont elle ne se servait pas, c'était sa propre mère, c'est-à-dire ma grand-mère, qui les avait choisies pour elle. Dans le lot, il y avait des verres colorés de l'ère Taishô et de l'époque victorienne, des bols vietnamiens en porcelaine peinte de l'Annam, des coupelles en porcelaine d'Imari, des assiettes creuses toutes blanches de Richard Ginori, et même une collection de flûtes à champagne Baccarat dont la production avait été arrêtée. Sous chaque objet, un autocollant comportait des explications, rédigées par ma grand-mère de son écriture que je connaissais bien.

Ma mère m'avait, chose rare, offert tout cela pour fêter l'ouverture de mon restaurant. Nos goûts étaient diamétralement opposés. Cela m'avait toujours irritée, mais ce jour-là, je m'en suis félicitée. Ce qui n'était que du bric-à-brac à ses yeux représentait un trésor pour moi.

C'était une impression que j'avais, mais dans les familles de femmes, les traits de caractère n'avaient-ils pas tendance à sauter une génération ?

Ma mère, en réaction à sa propre mère trop sobre, avait pris son contre-pied en choisissant une existence mouvementée ; moi qu'elle avait élevée, je m'étais juré de ne pas lui ressembler et je menais une vie frugale, à son opposé. C'était comme un jeu de Reversi sans fin : la fille s'acharnait à badigeonner de noir les zones peintes en blanc par sa mère, que la petite-fille à son tour s'appliquait à repeindre en blanc.

La vaisselle, j'avais décidé de la ranger dans un vaisselier trouvé à l'abandon dans la remise. Une fois lessivé dedans et dehors, il avait retrouvé toute sa beauté. Je l'avais installé sous la fenêtre par laquelle les clients pouvaient contempler les Mamelons en dînant.

Le sprint final avant l'ouverture du restaurant avait commencé.

C'était un de ces jours-là, dans la dernière ligne droite. Kuma est arrivé à la maison juché sur un tricycle pour adulte. Un vélo à assistance électrique, qui permettait de transporter de lourdes charges sans effort. Ce genre de tricycle devait bien avoir un nom mais je l'ignorais. Il avait deux roues arrière surmontées d'un grand panier. Il y avait même un rétroviseur pour surveiller la route derrière.

Kuma, les mains sur le guidon, m'a lancé d'un ton enjoué :

— Rinco, c'est un cadeau pour toi ! Je l'avais offert à Siñorita, mais plus personne ne s'en sert. Ça te dirait de l'utiliser ?

Et puis, en disant « Je t'emprunte de la peinture, d'accord ? », avec la même peinture bleu turquoise que pour les chaises, il a entrepris de repeindre le vélo un peu rouillé.

Confuse, j'ai donné des tapes sur le dos de Kuma en lui faisant signe que non des deux mains. Imaginez, c'était un précieux souvenir que lui avait laissé sa Siñorita bien-aimée. Moi qui n'étais pas de la famille, je ne pouvais pas accepter un tel cadeau.

Voilà ce que je voulais lui faire comprendre. Mais, malgré mes protestations, en un clin d'œil, le tricycle était paré d'un joli bleu turquoise. Alors, Kuma m'a tranquillement demandé :

— Au fait, le nom du restaurant, c'est *Amour* ?

Je me suis empressée de lui faire frénétiquement non des deux mains.

Absorbée par les préparatifs d'ouverture, j'avais complètement oublié de décider de ce point important. Mais jamais, au grand jamais, je n'utiliserais le nom *Amour*. Cela aurait complètement gâché l'ambiance que Kuma et moi avions mis plus d'un mois à créer.

Tard le soir, de retour à la maison, j'y ai longuement réfléchi au lit. Et, au son du hululement de Papy hibou à minuit pile, soudain, j'ai trouvé.

Et pourquoi pas *L'Escargot* ?

En quelques secondes à peine, la certitude m'a envahie : le nom de mon futur restaurant ne pouvait être que *L'Escargot*.

C'était ça !

Emmitouflée dans ma couette comme un gâteau roulé, j'ai claqué des doigts toute seule.

Désormais, avec ce restaurant posé sur mon dos, j'avancerais, lentement. Le restaurant et moi, nous ne formerions plus qu'un.

Si je me repliais dans ma coquille, j'y trouverais un paisible lieu de retraite.

Le lendemain matin, je me suis dépêchée d'appeler Kuma sur son portable.

Oui, mais j'étais incapable de parler. Donc, nous avions une règle : si je lui faisais entendre une musique dont nous avions convenu, cela voulait dire que je souhaitais qu'il vienne.

La musique choisie par Kuma était un tube de Seiko Matsuda, *Un balcon sur le rivage*. D'après ce que j'avais compris, Siñorita, qui s'était enfuie avec leur fille, la chantait souvent pour lui au karaoké du bar *Amour*. Donc, je glissais la cassette copiée par Kuma, avec mon baladeur, dans mon panier préféré que j'emportais partout avec moi.

On arrive toujours à communiquer, même avec des moyens limités.

Maintenant que j'en ai fait l'expérience, je sais : pour moi, garder le silence n'est pas aussi éprouvant que les gens peuvent l'imaginer. Déjà, par nature, je ne suis pas très bavarde, et puis, comme je vis seule, la situation n'a rien de particulièrement anormal.

Ce jour-là aussi, dès qu'il a entendu la voix enjôleuse chanter « Attends-moi au balcon sur le rivage... », Kuma est venu au volant de sa camionnette.

Sans perdre de temps, j'ai écrit par terre en gros, à l'aide d'un caillou, *L'Escargot*. Et puis, avec sur le visage une expression comme tracée au marqueur transparent qui voulait dire « alors ? », j'ai regardé Kuma. Ces derniers temps, nous n'avions plus besoin de recourir aux messages écrits, nous nous comprenions silencieusement, tous les deux.

— Excellent ! a-t-il répondu.

Et aussitôt, sur la plaque fixée au panier arrière du tricycle peint en bleu turquoise, il a écrit, cette fois à la peinture blanche, *L'Escargot* d'une main assurée.

L'écriture de Kuma, maladroite mais chaleureuse, me plaisait énormément.

J'ai décidé d'appeler le tricycle « l'escargot ».

En guise de tour d'essai, j'ai enfourché l'escargot sur-le-champ pour aller faire le tour de notre paisible village dans la vallée.

Comme je n'avais pas le permis, en fait, je me demandais comment j'allais faire. En ville, on peut se débrouiller sans voiture, mais dans un village isolé à la campagne, un véhicule est indispensable. J'étais ennuyée d'avoir à appeler Kuma pour la moindre chose.

Mais avec l'escargot, je pourrais me rendre par mes propres moyens jusqu'au centre du village. A un moment, il y avait un chemin de montagne qui n'était pas goudronné, mais sûrement rien d'insurmontable en poussant le tricycle. J'ai décidé de profiter, pleine de gratitude, de ce cadeau offert par Kuma à Siñorita.

Juchée sur l'escargot, qui progressait lentement mais sûrement sur les sentiers cahoteux, j'admirais le ciel bleu d'automne.

De fins nuages, pareils à des méduses, emplissaient le ciel. Une gigantesque méduse sans cœur ni squelette ni os, qui étendait ses tentacules. J'ai pris une profonde inspiration. Un milan arrivant de la mer décrivait lentement des cercles au-dessus de ma tête. Il a poussé quelques cris et poursuivi son vol en direction des Mamelons. Du cœur de la forêt me parvenaient des bruissements d'animaux.

En chemin, j'ai trouvé des vignes de Coignet. J'ai goûté un grain de raisin, il était âpre, avec une forte saveur aigre-douce. Ces raisins ne se mangent pas crus, mais ils m'ont donné une idée.

J'ai décidé d'en cueillir avant de me les faire souffler par un ours sauvage. J'ai fait une belle récolte, un plein sac plastique qui s'est teinté de violet foncé ; je l'ai déposé dans le panier de l'escargot. En cours de route, j'ai trouvé des glands par terre. J'en ai ramassé autant que possible, et un autre sac est allé rejoindre le premier dans le panier de l'escargot. Je ferais sécher les glands après les avoir bouillis et je les mettrais de côté pour le pain d'Hermès.

Sous peu, *L'Escargot* auquel je tenais tant verrait le jour.

Invariablement, je pataugeais une fois par jour dans les déjections d'Hermès. Il arrivait aussi qu'une bogue de châtaigne me tombe en plein sur le crâne, ou que je trébuche sur une pierre au bord du chemin, manquant de tomber. Malgré tout, par rapport à l'époque où je vivais en ville, les petits moments de bonheur étaient bien plus nombreux.

Le simple fait de remettre sur ses pattes un cloporte coincé sur le dos était pour moi une joyeuse rencontre. La chaleur d'un œuf fraîchement pondu contre ma joue, une goutte d'eau plus belle qu'un diamant sur les feuilles mouillées de rosée, une dame voilée cueillie à l'orée d'un bosquet de bambous, son superbe capuchon pareil à un dessous de verre en dentelle flottant dans mon bol de soupe de miso… la moindre petite chose me donnait envie de déposer un baiser sur la joue du Bon Dieu.

Dans mon esprit, je voyais très clairement ce que serait *L'Escargot.*

Dans ce restaurant un peu particulier, on ne servirait qu'une table par jour.

Au plus tard la veille du repas, je rencontrerais les convives ou alors nous communiquerions par fax ou par courriel et je leur demanderais ce qu'ils souhaitaient manger, la composition de leur famille, leurs espérances ou encore leur budget. J'établirais le menu sur la base de ces informations.

Tard le soir, on entendait le bruit du karaoké et des conversations du bar *Amour* tout près de là, donc, dans la mesure du possible, le dîner commencerait vers dix-huit heures. En accord avec le nom du restaurant, je souhaitais que mes hôtes savourent leur repas en prenant leur temps. Alors il n'y aurait pas de pendule, j'utiliserais un minuteur de cuisine quand j'en aurais besoin.

Comme l'odeur de la fumée altérait la saveur des mets, le restaurant serait entièrement non fumeur. Et comme je voulais qu'on entende les bruits de la cuisine et la présence dehors des oiseaux et des animaux sauvages, il n'y aurait pas de musique.

Lorsque je fermais les yeux, *L'Escargot* semblait prêt à appareiller immédiatement, en douceur.

Quand je suis revenue de mon tour du village sur l'escargot, Kuma était en train de fendre du bois ramassé en forêt pour le poêle.

J'ai sorti mon carnet, j'ai écrit un message et attendu que Kuma fasse une pause pour lui demander :

Qu'aimerais-tu manger ? Dis-moi ce qui te ferait plaisir.

J'étais toute confuse, comme si je faisais une déclaration d'amour à un garçon qui me plaisait. Mon écriture était un peu tremblée, peut-être à cause de ma nervosité.

Mais à vrai dire, cela faisait déjà un bon moment que j'avais pris ma décision.

Je voulais remercier Kuma pour son aide dans les préparatifs d'ouverture du restaurant. Lui offrir de l'argent ou un cadeau était, en toute franchise, hors de ma portée pour le moment. Mais je pouvais cuisiner. Et si c'était pour lui, j'étais sûre à cent pour cent de mettre tout mon cœur dans ce repas.

Je crois que ma question a pris Kuma complètement au dépourvu. Il a fait la moue avec la tête de quelqu'un qui a avalé quelque chose d'amer alors qu'il s'attendait à du sucré.

— Ce que j'aimerais manger… a-t-il murmuré, puis il a gardé le silence.

Ensuite, comme s'il n'avait pas lu ma question, il s'est vite remis à fendre du bois.

Mais au bout d'un moment, à voix basse, il a commencé à parler de Siñorita. C'était comme si le fait de penser à la nourriture lui rappelait inéluctablement Siñorita et leur enfant chérie.

C'était pareil pour moi. Depuis mon retour au village, je goûtais plus souvent aux petits bonheurs, et puis soudain, je repensais à mon amoureux. La blessure, loin de guérir, s'approfondissait de jour en jour.

Quand j'étais en ville, si j'apercevais de dos un homme qui lui ressemblait, imaginant que c'était lui qui était venu me chercher, je ne pouvais pas m'empêcher de courir pour le dépasser et voir son visage. Il me suffisait de sentir une odeur proche de celle des épices qui imprégnaient sa peau pour que, comme le chien de Pavlov, les larmes me montent aux yeux.

Quand je pensais à la nourriture, c'était encore pire. A chaque incursion dans la cuisine, lorsque je mettais mon tablier, je revoyais son visage basané aux dents d'une blancheur éclatante, son regard franc et la ligne nette de son nez, comme un fantôme. L'Inde et la Turquie, telle une boule de terre glaise bicolore, formaient un bloc qui me pesait sur la poitrine. Quoi que nous fassions, rien ne peut abolir le sentiment d'impuissance qui nous assaille quand la personne que nous aimons a décidé de partir.

Tout en fendant le bois, Kuma m'a appris que le premier plat que Siñorita lui avait cuisiné était un curry.

— C'est vrai, ça, c'est toujours ma mère qui prépare les repas, ça fait un bail que je n'ai pas mangé de curry, tiens, a-t-il murmuré, les yeux dans le vague, comme s'il contemplait l'Argentine au loin.

Quand je l'ai entendu, j'ai intérieurement crié victoire : c'était décidé, j'allais lui préparer un curry exceptionnel.

Pour moi aussi, c'était un plat plein de souvenirs. J'en avais préparé un nombre incalculable pour mon amoureux. Parce que pour lui, né en Inde, le curry était un réconfort.

Après avoir déjeuné d'un bol de nouilles, des *kama-age udon*, en compagnie de Kuma qui avait fini de couper du bois, j'ai soigneusement lavé les raisins sauvages cueillis dans la matinée et je les ai mis à cuire pour préparer du vinaigre balsamique.

Dans douze ans, il serait prêt. Quelle saveur aurait-il ? Les yeux clos, j'ai essayé de l'imaginer.

L'opération pouvait rater en cours de route. Mais j'espérais que dans douze ans, je serais toujours devant les fourneaux, avec le même émerveillement. C'est en faisant cette fervente prière que j'ai délicatement versé dans une bouteille stérilisée à l'eau bouillante le moût de raisin qui donnerait du vinaigre balsamique.

Le jour de l'ouverture de *L'Escargot*.

J'ai quitté la maison, le torse bombé, marchant à grandes enjambées vers le restaurant. Hermès, avec qui j'étais maintenant très copine, a poussé dans mon dos un grognement d'encouragement.

Depuis le matin, une pluie fine tombait sur le paisible village niché entre les montagnes, parfaitement en accord avec le nom de l'établissement. J'ai levé le visage vers le ciel, appréciant comme un vrai escargot la bruine qui m'arrosait.

La pancarte qui nous avait pris la veille toute une après-midi de fabrication était trempée de minuscules gouttelettes, fines comme de la brume. A ma demande, Kuma avait découpé dans une souche une rondelle de bois d'une dizaine de centimètres d'épaisseur, qu'il avait taillée à la scie sauteuse en forme d'escargot, et moi, avec de la peinture jaune, j'avais écrit *L'Escargot* de la main malhabile d'un enfant de maternelle. C'était une pancarte faite maison.

J'ai délicatement posé la paume de ma main sur la pancarte, puis j'ai sorti les clés que j'étais seule à posséder et j'ai lentement ouvert le verrou. La porte arrondie, pas encore habituée, a émis un grincement circonspect, comme si elle était animée d'une volonté propre.

Etant donné que le restaurant ne servirait qu'une table par jour, et uniquement sur réservation, je n'avais pas spécialement fait de publicité, mais vers midi, Néocon, sans doute informé par ma mère, m'a fait livrer une grande couronne de fleurs.

C'était le genre de couronnes multicolores qu'on voit souvent alignées à l'entrée d'un pachinko qui vient d'ouvrir. L'attention était délicate, mais je me suis empressée de la remiser à l'arrière du bar *Amour*. Avec une couronne comme celle-là devant la porte, l'atmosphère simple et chaleureuse de *L'Escargot* que j'avais mis tant de soin à créer serait réduite à néant.

Depuis l'autre jour, je réfléchissais beaucoup au curry que j'allais préparer pour Kuma.

J'y pensais tellement que, pendant plusieurs nuits, cela m'avait empêchée de dormir. J'avais eu beau lui demander quel genre de curry il voulait, il se contentait de me répondre d'un ton brusque « Un curry, c'est un curry », et je n'étais pas plus avancée.

Au début, j'avais pensé essayer de retrouver celui que Siñorita lui préparait.

Mais les souvenirs de Kuma étaient flous, et puis, de toute façon, j'aurais beau faire tout mon possible pour imiter le curry de Siñorita dont il se régalait autrefois, le mien ne serait jamais meilleur. Alors, j'avais décidé de préparer un curry bien à moi. Après avoir hésité, j'avais opté pour un curry à la grenade. C'était de saison. En m'enfonçant dans la forêt, je trouverais encore des grenadiers chargés de fruits.

Le curry à la grenade était une recette que je tenais d'un cuisinier iranien, employé au même restaurant turc que moi. Du fait de la profusion de grenades utilisées, c'est un plat à la belle couleur rubis et à la saveur aigre-douce qui agace délicieusement le palais.

La première fois que j'en ai mangé, alors que je n'y avais jamais mis les pieds, j'ai eu l'impression de voir se déployer devant moi les vastes steppes iraniennes couleur sépia. Quand nous ouvririons notre restaurant, avec mon amoureux, nous avions décidé que ce plat figurerait impérativement à la carte, nous le ferions découvrir aux Japonais, c'était un curry réellement mémorable.

Les grenades, j'étais allée les chercher seule en forêt la veille, j'avais grimpé aux arbres, cueillant parmi les fruits encore accrochés aux branches juste la quantité nécessaire. Utiliser, dans la mesure du possible, des produits locaux était pour moi un principe de base depuis que j'avais eu l'idée de *L'Escargot*.

Les grenades que j'avais goûtées, juchée sur une branche, étaient plus aigres-douces que je ne m'y attendais, assez âpres, d'un goût à réveiller toutes les cellules de l'organisme. Leur saveur était bien entendu sans comparaison avec celle des grenades dénaturées, pompeusement enveloppées de papier, vendues dans les supermarchés des grandes villes. C'étaient ces grenades-là qui attendaient tranquillement leur tour sur mon plan de travail.

Lorsque j'ai allumé le poêle à bois, un sentiment divin m'a envahie. J'ai noué d'un geste ferme les cordons de mon tablier tout neuf, je me suis soigneusement couvert la tête d'un fichu en coton et récuré les mains au savon. Mes cheveux étaient presque aussi courts que ceux d'un moine.

Bien que je les aie coupés moi-même dans les branches du figuier, le jour de mon retour au village, je les trouvais encore trop longs et ils me gênaient, alors, un peu plus tard, j'étais allée chez un coiffeur à l'autre bout du village, qui m'avait coupé les cheveux très court, à la tondeuse. Désormais, je me rasais moi-même la tête, une fois tous les trois jours. Comme ça, je n'avais pas à m'inquiéter de trouver un éventuel cheveu dans les plats, et puis, de toute façon, je n'avais plus le moindre désir de me montrer sous un jour avantageux.

Pour éviter de retrouver un corps étranger dans les mets, j'avais même envisagé de me raser les sourcils, mais là, j'avais renoncé au dernier moment. Moi, ça ne m'aurait pas gênée, mais je ne devais pas effrayer les clients non plus.

Sur le plan de travail d'une propreté éclatante, outre les grenades, des oignons et de la viande de bœuf attendaient impatiemment d'être cuisinés.

De la paume de mes mains fraîchement lavées, j'ai délicatement effleuré les aliments. Puis, comme on berce une vie nouvelle à peine éclose, un par un, je les ai pris entre mes mains, les ai portés jusqu'à mon visage et, les yeux clos, j'ai parlé avec eux pendant quelques secondes.

Ce n'était pas quelque chose que l'on m'avait appris et je ne savais d'ailleurs pas exactement quand j'avais commencé à le faire, mais avant de cuisiner, je suivais toujours le même rituel. J'approchais mon visage, mon nez, des aliments, j'écoutais leur « voix ». Je les humais, les soupesais, leur demandais comment ils voulaient être cuisinés. Alors, ils m'apprenaient eux-mêmes la meilleure façon de les accommoder.

Ce n'était peut-être qu'une illusion, mais j'entendais bel et bien leur voix ténue. Ensuite, je m'agenouillais en esprit et priais les divinités de la cuisine.

Je vous en prie, faites en sorte que je cuisine un bon curry.

Accordez-moi de métamorphoser ces aliments en un curry délicieux sans les décevoir, les malmener ni les gâcher.

Lorsque je sentais que ma prière avait été entendue, je rouvrais lentement les yeux et m'immergeais dans la sphère culinaire.

C'est arrivé quelques secondes après avoir entrepris d'émincer les oignons, j'avais à peine commencé à les couper.

Soudain, les larmes me sont montées aux yeux. Instinctivement, j'ai serré les dents.

Etait-ce l'oignon qui me piquait les yeux ou le souvenir de mon amoureux qui me pinçait le cœur ? Je n'en savais rien moi-même. Mais de grosses larmes, aussi grosses que les œufs pondus par les tortues marines sur les plages, roulaient sur mes joues avant de tomber. Malgré tout, j'ai continué à émincer les oignons.

En fin de compte, j'ai pleuré sans discontinuer presque tout le temps qu'a duré la préparation du curry à la grenade.

Les souvenirs avec mon amoureux, les uns après les autres, débordaient sous forme de larmes du coffre de ma mémoire. Lorsque j'avais quitté la ville pour revenir au village, j'étais encore sous le choc, et après, je m'étais immédiatement lancée dans les préparatifs d'ouverture du restaurant. J'avais soigneusement évité de penser à lui. Et maintenant, tout cela jaillissait d'un coup, c'était du moins mon impression.

Nos souvenirs à deux, comme les mouchoirs aux couleurs vives en nylon bon marché d'un prestidigitateur, surgissaient les uns après les autres devant mes yeux, teignant mon paysage intime aux couleurs de la nostalgie. Du coup, je discernais mal la nuance des oignons que j'étais en train de faire revenir.

Malgré tout, quelques dizaines de minutes plus tard, le fumet aigre-doux du curry à la grenade emplissait la cuisine.

Le soir, juste à l'heure convenue, Kuma est arrivé dans sa camionnette.

Comme je ne l'avais jamais vu qu'en bleu de travail, sur le coup, il m'a fait peur, j'ai cru qu'un type patibulaire était venu me menacer. Peut-être une histoire de protection à payer, ou quelqu'un qui avait une dent contre ma mère. Dans une grande ville, cela n'aurait pas été impossible.

A l'instant où je songeais à aller chercher dans la cuisine le pilon pour me défendre, j'ai réalisé qu'il s'agissait de Kuma. Parce qu'il m'a lancé « C'est moi ! » du ton nonchalant qui m'était familier.

Rassurée, j'ai ouvert la porte de *L'Escargot* et j'ai accueilli Kuma, mon client du jour. A partir d'aujourd'hui, j'allais devenir un véritable chef cuisinier.

Kuma, en costume noir agrémenté d'une cravate rouge très voyante, sa chevelure de plus en plus clairsemée gominée vers l'arrière, était sur son trente et un. Mais ses pieds, eux, étaient bien ceux du Kuma que je connaissais. Ses bottes en caoutchouc, habituellement couvertes de boue et de feuilles d'arbres, étaient briquées, luisantes comme le ventre d'un thon sur les étals du marché aux poissons.

Tout en s'assurant soigneusement au passage que le lustre installé par ses soins était correctement fixé et qu'aucune dalle de terre cuite ne s'était soulevée, Kuma est allé s'installer à table.

Je lui ai montré la fiche *Veuillez patienter un instant* que j'avais glissée dans la poche de mon tablier et je me suis dépêchée de retourner à la cuisine pour mettre la dernière main au curry à la grenade. Pendant ce temps, Kuma attendait dans la salle en fumant un énorme cigare. Normalement, le restaurant était non fumeur, mais Kuma était un client spécial et j'ai décidé de fermer les yeux pour cette fois. Je lui ai vite donné un cendrier.

J'ai bien vérifié que le curry était suffisamment salé, j'en ai versé une copieuse ration sur le riz pilaf au beurre qui venait juste de finir de cuire, et j'ai immédiatement servi Kuma qui attendait.

En accompagnement, j'avais préparé du radis blanc en saumure. A vrai dire, le mieux aurait été les oignons de Chine confits préparés durant l'été, mais ils étaient partis sans laisser d'adresse.

Après avoir posé une cuillère en bois toute neuve à côté de l'assiette, je me suis profondément inclinée et je suis retournée à la cuisine sans bruit, fermant délicatement le rideau de séparation avec la salle.

Il ne me restait plus qu'à attendre que Kuma mange mon curry à la grenade.

A l'exception de mon amoureux, il m'est impossible de regarder en face quelqu'un manger un plat préparé par mes soins. Pour moi, cet acte est encore plus tétanisant que de me faire longuement examiner à la loupe l'intérieur du sexe ou la pointe des seins.

Mais je mourais d'envie de voir comment réagirait Kuma.

Après avoir dit « Itadakimasu » à voix basse, il avait déjà entamé mon curry à la grenade. J'ai entrouvert le rideau et, par l'interstice, avec un miroir à main, j'ai guetté le profil de Kuma à la dérobée.

J'ai rectifié l'orientation du miroir pour examiner l'expression de son visage. Chaque fois que la lumière se reflétait sur la glace, un papillon blanc se déplaçait, voletant à la surface de sa peau.

Mais cela ne préoccupait pas Kuma, qui poursuivait son repas en silence, le visage impénétrable. Bon ou mauvais, il ne laissait rien transparaître, pas le moindre signe.

Mon agitation était à son comble.

Peut-être des larmes avaient-elles coulé dans le curry sans que je m'en aperçoive, et qu'elles l'avaient gâché…

L'angoisse me faisait envisager le pire, et j'étais bel et bien en train de perdre confiance en moi, en mon avenir de chef cuisinier.

Ah ! Il y avait vraiment un monde entre un simple cuisinier amateur et un vrai chef ! Je ne souhaitais plus qu'une chose, c'était, et le plus vite possible, d'arracher à Kuma son assiette de curry pour la jeter dans l'évier.

Mais pourquoi n'avais-je pas concocté un menu plus susceptible de lui plaire ? J'aurais dû lui servir un curry à la japonaise, ou aux côtelettes panées, ou au steak haché, bref un curry populaire, classique, avec une de ces sauces douceâtres qu'on trouve dans le commerce. Je n'aurais pas dû pleurer toutes les larmes de mon corps en ressassant mes souvenirs avec mon amoureux. Ou alors, peut-être que le radis blanc en saumure n'était pas bon. Le déménagement avait peut-être fait tourner la saumure, altéré son équilibre. Comment allais-je faire ? J'avais péché par vanité.

J'en étais là de mes reproches à moi-même, au bord des larmes, lorsque c'est arrivé.

Kuma a murmuré, à point nommé :

— Rinco, c'est la première fois que je mange un curry comme celui-là.

Savait-il que je me cachais juste derrière le rideau ? Il a parlé tourné vers l'entrée de la cuisine.

J'avais les larmes aux yeux. Un instant plus tôt, je pleurais de découragement, mais maintenant, c'était de joie.

— Qu'est-ce que j'aurais aimé que Siñorita et ma fille en mangent aussi ! a-t-il soufflé avec une inflexion pleine de mélancolie.

En regardant bien, le visage souriant de Kuma devant son assiette de curry se reflétait dans mon miroir à main.

Bref, le curry à la grenade avait été une réussite totale. Complètement rassurée, je me suis attelée à la préparation du café allongé que je servirais en dernier.

J'ai un don, qui fait un peu ma fierté. Il me suffit de voir une personne pour savoir si elle aime le thé ou le café, et dans le cas du café, quelle variété elle préfère boire. C'est peut-être parce que, pendant mes premières années passées en ville, j'ai travaillé à la caisse d'une grande chaîne de cafés. A force de regarder le visage des clients et de prendre leur commande, je savais plus ou moins ce qu'ils allaient choisir. En gros, je devine juste quatre-vingt-quinze fois sur cent.

Kuma a vidé sa tasse de café jusqu'à la dernière goutte. Puis il m'a remerciée plusieurs fois, a fourré de force, malgré mon refus catégorique, un champignon *matsutake* dans la poche de mon tablier pour fêter l'ouverture de mon restaurant, et il est reparti lentement par le chemin de montagne baigné des dernières lueurs du soleil couchant.

C'était un *matsutake* magnifique, au chapeau pas encore ouvert, que Kuma était spécialement allé cueillir le matin même dans la montagne. Son parfum délicat montait de la poche de mon tablier. Puisque c'était un cadeau, je me suis dit que je ferais aussi bien de le manger rapidement ; j'allais le préparer pour le dîner, en partie cuit dans le riz et en partie au bouillon, dans une théière en terre.

Dans la cuisine, à cause de la buée sur les vitres, je n'avais rien remarqué, mais il avait cessé de pleuvoir et le coucher de soleil était magnifique. C'était comme si la Terre entière avait été plongée dans un pot de miel géant.

Entre mes mains reposait l'assiette de curry à la grenade, parfaitement vide.

Le miracle se serait produit le lendemain matin, un peu après dix heures et demie.

Figurez-vous que Siñorita, qui était partie s'installer à la ville avec sa fille, était revenue à la maison.

Kuma, surexcité, est arrivé chez moi en trombe. Il s'était tellement dépêché qu'il avait enfilé des bottes dépareillées.

En l'écoutant attentivement, il s'est avéré que Siñorita était seulement venue récupérer quelque chose d'important qu'elle avait oublié. Elle était immédiatement repartie, sans même accepter une tasse de thé. Cependant Kuma m'a dit, avec le plus grand sérieux : « Mais tu sais, si elle n'avait pas de regrets, elle ne serait revenue pour rien au monde. » Son visage rayonnait. Personne n'a le droit de briser les rêves d'autrui, alors je me suis contentée de l'écouter en hochant obligeamment la tête.

Ensuite, il a conclu d'autorité que c'était mon curry à la grenade qui avait tout déclenché. Pour moi, cela n'avait rien à voir, il s'agissait d'une simple coïncidence, mais Kuma insistait, il n'en démordait pas, le curry avait une saveur tout à fait particulière, il en avait même les larmes aux yeux en me remerciant. Après m'avoir serré la main plusieurs fois, si fort que j'ai cru qu'il allait me broyer les doigts, il est reparti, toujours dans le même état d'excitation.

Qu'il dise vrai ou non, la joie de Kuma dépassait toutes mes espérances, et pour moi, c'était une grande fierté.

Quelques jours plus tard, Kuma, à qui cet incident semblait avoir donné des idées, a fait son apparition à *L'Escargot* en compagnie d'une de ses voisines, la Favorite. Malgré ce surnom, il ne s'agissait évidemment pas de la maîtresse de Kuma.

Dans ce paisible village de montagne, tout le monde la connaissait, elle était célèbre. Moi aussi, je la connaissais depuis que j'étais petite. Mais elle me faisait tellement peur que je ne lui avais pas une seule fois adressé la parole. Eté comme hiver, elle portait le deuil, complètement vêtue en noir.

La Favorite avait été la maîtresse d'un notable de la région. Mais son amant était mort depuis longtemps. D'après ce que j'avais entendu dire, c'est chez elle qu'il avait rendu l'âme. L'épouse était immédiatement venue récupérer le corps et la Favorite était restée seule dans la maison. Durant trois jours et trois nuits, disait-on, elle avait ri comme une démente.

Selon ma mère, friande de cancans, et les habitués du bar *Amour* qui en discutaient en buvant de l'alcool – c'était donc à prendre avec des pincettes –, ses rires avaient résonné dans le village tout entier.

Pourquoi des rires, et non des pleurs ? Mon expérience limitée me permettait seulement d'en imaginer la raison. Peut-être avait-elle ri comme on pleurerait.

A compter de ce jour, la Favorite avait changé du tout au tout, elle était devenue une vieille femme taciturne toujours vêtue de noir. Autrement dit, depuis le décès de son amant, elle portait son deuil.

Kuma, qui vivait près de chez elle, s'était toujours fait du souci pour elle. C'était au départ une femme gaie, qui avait tiré un trait sur l'enfant qu'elle ne pourrait jamais avoir, choyant à la place le petit Kuma comme son propre fils. Donc, cherchant comment lui rendre ses bontés, il était venu me consulter. De mon côté, elle m'avait donné le lustre installé à *L'Escargot* et je tenais à la remercier.

Le jour dit, la Favorite est arrivée à *L'Escargot* en grand deuil, comme à son habitude.

Elle semblait avoir du mal à se déplacer, appuyée sur une canne, chancelant à chaque pas. La tête toujours baissée, elle ne montrait pas son visage. A moi, elle me faisait le même effet que lorsque j'étais enfant et j'avais, si j'ose dire, l'impression d'être face à un fantôme. J'avais beaucoup de mal à croire que, comme Kuma le disait, cette vieille femme sombre avait autrefois été gaie et enjouée.

Quelques jours plus tôt, en compagnie de Kuma, la Favorite était déjà venue à *L'Escargot*.

C'était pour notre entretien. Mais malgré une tentative de dialogue par écrit, elle était restée muette, comme un reflet de moi-même, et je n'avais rien pu apprendre sur ce qu'elle souhaitait manger. Puisqu'elle ne m'avait offert aucune piste, il ne me restait plus qu'à décider moi-même du menu.

Au début, je penchais pour un menu qui emprunterait aux bienfaits de la nature, doux pour le corps comme pour l'esprit. Par exemple, un *kimpira* de champignons *matsutake*, du tofu au sésame, une soupe de légumes-racines, un *chawan-mushi*, des recettes apprises de ma grand-mère. Mais, réflexion faite, j'en étais arrivée à la conclusion que cela n'avait pas de sens et j'avais abandonné cette piste.

L'idée qui m'était venue, à force de me creuser la tête, c'était de traduire l'éventail des émotions avec des plats très sucrés ou très épicés, un menu aux saveurs contrastées, stimulantes. Que des plats aux goûts inconnus pour la Favorite.

Je voulais préparer un repas qui, comme la sonnerie d'un réveil, ranimerait ses cellules plongées dans une profonde léthargie, les galvaniserait.

Voici le menu composé pour cette femme en deuil depuis des dizaines d'années :

Cocktail à la liqueur de *matatabi*
Pomme en saumure
Carpaccio d'huîtres et d'*amadai*
Samgyetang de poulet de Hinai entier au *shôchû*
Risotto de riz nouveau à la poutargue
Selle d'agneau rôtie et champignons sauvages sautés à l'ail
Sorbet de *yuzu*
Tiramisu au mascarpone avec sa boule de glace à la vanille
Expresso serré

Je n'étais pas sûre que ce menu lui plairait, vu son âge. Il était copieux et riche en produits laitiers. Mais ce que je voulais dire à la Favorite, c'est que sa vie recelait encore une infinité d'univers qui lui étaient inconnus. C'était peut-être présomptueux de ma part, mais c'est ce que je voulais lui faire comprendre par le biais de la nourriture. *Faites en sorte que les paupières à demi closes du cœur de la Favorite se rouvrent en grand sur le monde.* Tel était mon souhait.

Et puis, si elle ne touchait à rien de ce que je lui servais, je le mangerais moi-même, tant pis ! J'avais passé plusieurs jours à tout préparer. Pour l'entrée, le matin même, au point du jour, Kuma m'avait conduite au port dans sa camionnette, où j'avais choisi des huîtres et, comme poisson, un *amadai* bien frais.

Le poulet de Hinai, vidé et méconnaissable, baignait dans son bouillon au ginseng et à l'eau-de-vie, au fond du fait-tout. Le tiramisu, préparé avec du lait, de la crème fraîche et du mascarpone provenant de la même vache, déjà prêt lui aussi, reposait au réfrigérateur.

J'ai tendu à la Favorite, qui s'était installée lentement, en prenant son temps, une couverture pour ses genoux et je lui ai montré une de mes fiches :

Je prépare votre repas, veuillez patienter un instant.

Puis j'ai rempli une belle flûte à champagne Baccarat d'un cocktail maison, un mélange de vin blanc et de liqueur de *matatabi*, que je lui ai servi en apéritif.

La liqueur de *matatabi* de sept ans d'âge, un cadeau de Kuma, avait été fabriquée avec des fruits grignotés par des insectes et ramassés dans la forêt voisine. Ces fruits de la famille du kiwi sont tellement délicieux que même les insectes les mangent, dit-on. Pour obtenir une saveur plus délicate, je l'avais coupée avec du vin blanc. Elaboré par un viticulteur des environs, ce vin aux arômes frais et fruités se mariait bien avec la liqueur de *matatabi* à la forte personnalité. Le mélange des deux prenait une couleur d'ambre profond, comme de la poudre d'or fondue.

Lorsque je me suis retournée, la lumière du lustre que m'avait donné la Favorite s'est reflétée sur le verre à champagne, comme un kaléidoscope.

De l'autre côté de la fenêtre, Kuma, qui avait accompagné la Favorite, m'a fait un clin d'œil et un petit signe de la main. Il a attendu que je hoche la tête, puis il est reparti dans sa camionnette.

J'ai posé devant la Favorite la pomme en saumure.

La pomme, coupée en deux avec sa peau et saupoudrée de sel, avait reposé deux jours dans la saumure. Les aliments en saumure méritent d'être retirés de la jarre un peu à l'avance car, tout comme le vin rouge, leur saveur s'adoucit au contact de l'air ; j'avais donc sorti et préparé la pomme avant l'arrivée de la Favorite. Le sel faisait ressortir son goût sucré, c'était une entrée exquise.

Après lui avoir poliment souhaité bon appétit dans mon cœur, je me suis profondément inclinée, comme une ballerine saluant sur scène, et je suis retournée en cuisine à pas pressés. J'ai mis le fait-tout contenant le *samgyetang* sur le gaz à petit feu, tout doucement, pour réchauffer le bouillon et le poulet bien à cœur.

J'ai soulevé le couvercle du fait-tout, le poulet de Hinai, parfaitement méconnaissable, flottait gentiment dans sa soupe qui avait pris une teinte caramel. J'ai revu la scène de sa mise à mort, quelques jours plutôt. Le poulet qui tentait de s'enfuir, maîtrisé de force et à qui on avait tordu le cou, immobilisé les pattes et arraché quelques plumes pour trancher la carotide. Le sang rouge s'écoulait goutte à goutte de son cou. Encore vivant malgré tout, il agitait les pattes et les ailes.

A vrai dire, j'ai failli détourner le regard plusieurs fois. Eh oui, voir mon propre sang quand j'ai mes règles ou celui de quelqu'un qui saigne du nez m'effraie, je frôle le malaise tellement je suis peureuse. Mais il fallait que je regarde, je l'avais décidé, et je me suis retenue de toutes mes forces de cligner des yeux.

Au bout d'un moment, le poulet a arrêté de se débattre et il est mort modestement entre les mains de l'éleveur.

Pour préparer ce plat, un poulet bien vivant avait été sacrifié.

Pour le poulet de Hinai qui y avait laissé la vie comme pour la Favorite, il était de mon devoir de donner le meilleur de moi-même.

J'ai assaisonné la soupe en ajoutant le sel par toutes petites pincées.

C'était du sel d'Hawaï. Du sel gemme naturel récolté près de Diamond Head sur l'île d'Oahu, relevé d'un mélange d'herbes aromatiques et de gingembre. Ses gros grains ont la particularité d'être délicatement parfumés. Dernièrement, Kuma m'avait dit en passant avoir vu un jour des photos de la Favorite et de son amant dans la résidence secondaire de celui-ci à Hawaï. Du coup, j'avais décidé d'utiliser ce sel.

Un plat trop salé, c'est problématique, mais si on ne sale pas assez, on gâche bêtement les ingrédients. J'ai ajouté le sel avec prudence, en m'arrêtant au moment crucial.

Par l'entrebâillement du rideau, j'ai discrètement regardé la Favorite.

Je m'en doutais depuis le début, et j'avais vu juste : elle n'avait encore touché ni à l'apéritif, ni à l'entrée.

Alors, j'ai décidé d'attendre encore un peu avant de préparer le *samgyetang* et j'ai refermé le rideau, patientant discrètement dans la cuisine.

J'ai remarqué que derrière les vitres, la nuit était déjà tombée.

A l'entrée du sentier qui menait au figuier, un oiseau au chant curieux lançait des trilles aigus, comme s'il m'encourageait. Ouvrant doucement la fenêtre, j'ai aperçu l'oiseau au plumage bleu de cobalt qui s'envolait gracieusement en direction de la lune. Un martin-pêcheur, peut-être.

A côté d'un croissant de lune parfait, l'étoile de Vénus brillait, imposante. On aurait dit le drapeau turc. Cela m'a rappelé l'époque où je travaillais dans un restaurant turc.

Pendant combien de temps ai-je contemplé le ciel étoilé ?

Au bout d'un moment, un tintement de vaisselle a retenti et j'ai jeté un coup d'œil dans la salle, derrière le rideau : la Favorite, couteau et fourchette à la main, s'apprêtait à porter lentement à sa bouche un morceau de pomme en saumure. En regardant avec attention, j'ai constaté que le niveau de son apéritif avait légèrement baissé.

J'ai immédiatement préparé une assiette pour dresser le carpaccio d'huîtres et d'*amadai*.

J'ai mis des gants de travail et j'ai ouvert les coquilles avec le couteau idoine, révélant de grosses huîtres bien charnues. Je les ai disposées telles quelles, sans assaisonnement, sur une assiette blanche. J'ai apprêté le carpaccio d'*amadai* à côté. Le poisson avait mariné environ une demi-journée avec des algues *kombu*, je l'ai salé et j'ai ajouté un filet d'huile d'olive. Une fois l'assiette servie, je me suis enfin attelée à la préparation du plat suivant, le *samgyetang*.

J'ai posé le poulet mitonné dans la soupe sur la planche à découper et, avec un couteau, je l'ai débité en gros morceaux. La grande bardane et le riz gluant dont j'avais farci la volaille laissaient échapper le riche fumet d'un succulent bouillon. Rien que l'odeur me réchauffait le corps.

Lorsque j'ai apporté à table le *samgyetang* brûlant, la Favorite avait presque vidé son verre d'apéritif et fini la pomme en saumure et les huîtres. Poussant sur le côté l'assiette avec le reste de carpaccio d'*amadai*, j'ai doucement posé devant elle le bol de *samgyetang* avec son couvercle.

Tant que le client ne me le demande pas, je ne débarrasse pas les assiettes qui contiennent encore de la nourriture, même s'il ne reste que quelques bouchées ; c'est un de mes principes de service. M'inclinant une nouvelle fois à la façon d'une ballerine qui salue, j'ai disparu à la cuisine.

La Favorite a également fini le risotto de riz nouveau à la poutargue, à son rythme, mais sans en laisser une miette.

Pendant ce temps, j'ai mis la dernière main au plat de résistance, la selle d'agneau rôtie.

J'avais choisi une viande maigre, généreusement badigeonnée de moutarde, enrobée de chapelure et poêlée à l'huile d'amande. Dans la chapelure, j'avais ajouté de l'ail et de la roquette finement ciselés.

L'agneau, avec un point de fusion de la graisse assez bas, ne laisse pas un arrière-goût fort et on peut en manger tout son content ; quelques secondes après l'avoir avalée, chaque bouchée s'efface, comme emportée par une brise légère. Même avec l'estomac plein, cette viande se mange aisément.

Pour les champignons servis en accompagnement, Kuma m'avait dévoilé, quelques heures plus tôt, l'emplacement de son coin à champignons secret. Un coin à plantes sauvages ou à champignons, c'est un secret tellement précieux qu'on le cache même à sa famille, dit-on. J'étais ravie que Kuma m'ait mise dans la confidence. J'allais faire sauter les champignons sauvages fraîchement cueillis avec beaucoup d'ail.

Tout en faisant revenir la selle d'agneau à la poêle, j'ai lancé un coup d'œil vers la table : le verre d'apéritif était maintenant tout à fait vide. Pendant que la viande cuisait, j'ai ouvert une bouteille de vin rouge pour aller remplir le verre de la Favorite. Ce vin venait de chez le même vigneron que le blanc, c'était un vin naturel, élaboré avec le raisin de la région. Je l'ai goûté ; il avait du corps et un bouquet riche, parfait pour accompagner de l'agneau rôti.

Peut-être boirait-elle aussi du vin rouge.

Cet espoir, ce souhait ténu avait effleuré mon esprit. Et comme je l'espérais, gorgée après gorgée, le vin rouge s'est frayé un chemin dans le corps de la Favorite.

Où pouvait-elle bien cacher, dans un corps si fluet, un estomac capable d'autant manger ? Même mon amoureux indien, qui avait pourtant un solide appétit, aurait peut-être peiné à finir ce menu en entier, mais elle, de sa petite bouche, venait à bout de tout, lentement mais sûrement.

Quelques minutes avant que Papy hibou n'annonce les douze coups de minuit, la Favorite, qui avait vidé la bouteille de vin rouge à elle seule, a entamé le sorbet de *yuzu*.

A quoi avait-elle pensé pendant tout ce temps, en savourant le repas que je lui avais préparé ? Je n'en sais rien. Bien qu'elle ait bu beaucoup d'alcool, cela ne se voyait ni sur son visage ni dans son maintien, qui ne laissait transparaître aucun signe d'ivresse. Jusqu'à la fin, elle était restée une vieille femme taciturne.

Emportant avec moi le tiramisu au mascarpone et les ingrédients pour la glace qui l'accompagnerait, je suis sortie du restaurant.

La Favorite avait devant elle, en guise de digestif, un verre de grappa. Le temps qu'elle le boive, j'avais prévu de profiter de l'air froid à l'extérieur pour confectionner la glace. J'avais à peine mis le pied dehors qu'il m'a semblé être congelée jusqu'à la moelle. Un air glacial enveloppait les abords du restaurant.

Sans attendre, j'ai plongé le cul-de-poule en inox contenant les ingrédients dans de l'eau glacée et je les ai vite battus au fouet, de toutes mes forces. Dans le ciel au-dessus de ma tête, une multitude d'étoiles scintillaient en silence.

J'étais heureuse.

Heureuse à en avoir le souffle coupé, comme si j'allais mourir étouffée par le bonheur.

Jamais je n'aurais imaginé qu'un jour, sous un ciel étoilé, je préparerais une glace pour quelqu'un. Ni que mon rêve de toute une vie se réaliserait si vite…

Le claquement du fouet résonnait comme de la musique dans l'obscurité. La bonne odeur du rhum ajouté en cours de route me chatouillait les narines. Mon haleine s'échappait de ma bouche en une buée blanche qui se dissolvait peu à peu dans la nuit froide.

J'ai lancé un bref coup d'œil vers l'intérieur du restaurant : à travers les rideaux, la silhouette de la Favorite, son verre de grappa à la main, se dessinait nettement en ombre chinoise. C'était un verre taillé de style Edo-kiriko de l'ère Taishô, offert par ma grand-mère à ma mère. Au creux de la main ridée de la Favorite, il brillait comme un bijou.

J'ai attendu le bon moment pour dresser l'assiette de tiramisu au mascarpone et sa glace à la vanille, et je l'ai servie avec un expresso serré. Pour le café, j'utilisais exclusivement des grains récoltés à Okinawa. J'ai également apporté du sucre de canne venant de la même petite île d'Okinawa. Devant son assiette, la Favorite a joint les mains et clos les yeux, l'expression d'une nonne abîmée dans une fervente prière peinte sur le visage.

Comme pour Kuma, je l'épiais par l'interstice du rideau, avec mon miroir à main. Ma main tremblait, et l'image reflétée dans le miroir aussi.

La Favorite. Elle avait vécu plus de soixante-dix années. J'avais l'impression de regarder un vieux film étranger en noir et blanc. Par amour pour son défunt amant, sans une seule fois rire pendant des décennies, elle avait porté le deuil. Ce qu'avait été sa vie, il me suffisait de l'imaginer pour sentir la folie me guetter. Quant au désespoir de ne plus jamais revoir celui que l'on a tant aimé, comme ces ténèbres devaient être profondes…

De ses lèvres minces, elle a bu une gorgée d'expresso, puis, avec une cuillère ancienne en argent un peu terni, elle a prélevé une cuillerée de glace à la vanille fraîchement préparée et l'a portée à sa bouche.

Dans le miroir, elle restait immobile, les yeux clos. La glace trop froide lui agaçait-elle les dents ? J'étais aux aguets, inquiète, lorsqu'elle a rouvert les yeux et, le regard lointain, a contemplé le lustre accroché au plafond.

Sans doute les petites lumières qui palpitaient dans ce lustre avaient-elles délicatement éclairé ses tendres rendez-vous clandestins avec son amant. Elle a repris une gorgée de café, puis, cette fois, une cuillerée de tiramisu, qu'elle a portée à sa bouche. Et elle a refermé les yeux, levant lentement le visage vers le lustre.

Au bout du compte, elle a mangé tout ce que je lui avais préparé, sans rien laisser.

La dernière goutte d'expresso avalée, la Favorite s'est tournée vers mon miroir à main et elle a murmuré. D'une voix douce comme un rayon de soleil de printemps.

— C'était délicieux. Merci.

Puis elle s'est profondément inclinée.

Sa voix, que j'entendais pour la première fois, était pleine de charme et distinguée, comme une surface soigneusement polie au papier de verre, délivrée de toutes ses irrégularités et ses impuretés. Je la trouvais enivrante. Un instant, j'ai eu l'impression fugace d'effleurer du doigt la Favorite jeune, nimbée des couleurs de l'arc-en-ciel.

Elle s'est levée et a annoncé qu'elle souhaitait s'allonger un moment ; comme si je n'avais attendu que cela, j'ai réarrangé le canapé en caisses à vin et lui ai proposé de s'étendre.

C'était sans doute le *samgyetang* qui faisait son effet.

Les doigts de la Favorite, que j'avais à peine frôlés, étaient tout chauds. La circulation sanguine activée, j'espérais qu'elle dormirait profondément.

Elle a passé toute la nuit à *L'Escargot*, sans ouvrir l'œil jusqu'au lendemain matin.

Quelques jours plus tard, après Kuma, c'est à la Favorite qu'il est arrivé un miracle.

Elle qui portait si strictement le deuil avait quitté le noir pour sortir et, en plus, elle marchait sans s'aider de sa canne.

J'étais justement en train de faire mes courses au supermarché Yorozuya.

J'ai senti une présence rayonnante derrière moi. Je me suis retournée et j'ai vu passer une femme âgée en manteau rouge vif. Elle avait sur la tête une luxueuse toque en fourrure vaporeuse, un peu comme celles des Russes.

Sur le coup, je n'ai pas réalisé que c'était la Favorite. J'ai cru qu'il s'agissait d'une riche étrangère qui s'était fourvoyée dans notre village et qui, par curiosité, visitait un supermarché de la campagne japonaise.

Mais en l'examinant mieux, c'était bien la femme qui, quelques jours plus tôt, avait dîné à

L'Escargot. Elle avait même mis du rouge à lèvres rose pâle sur ses lèvres fines !

La nouvelle était de taille pour notre paisible village de montagne et, de bouche à oreille, elle s'est répandue comme une traînée de poudre.

D'après ce que Kuma m'a raconté le lendemain, cette nuit-là, après avoir fini son dîner à *L'Escargot*, pendant qu'elle dormait sur le lit d'appoint bricolé avec des caisses à vin, la Favorite avait fait un rêve. Et dans ce rêve lui était apparu son défunt amant.

Elle avait vécu toutes ces années en priant chaque soir qu'il lui soit accordé de le rencontrer en rêve. Mais jusqu'alors, son vœu n'avait jamais été exaucé. Et cette nuit-là, elle avait enfin été réunie avec son grand amour.

Dans son rêve, il l'avait rassurée, nous nous retrouverons bientôt au paradis, alors, en attendant, profite du restant de tes jours sur la terre. C'était comme de la télépathie.

D'après Kuma, la Favorite rayonnait de bonheur. Et ça, c'est parce qu'elle a mangé à *L'Escargot*, a-t-il hâtivement conclu.

Voilà comment la folle rumeur – en mangeant à *L'Escargot*, on voyait ses vœux réalisés et ses amours comblées – s'est peu à peu propagée parmi les habitants du village et des localités voisines.

Pourriez-vous faire en sorte que Satoru m'aime ?

C'est Momo qui, dès qu'elle a entendu parler de la Favorite, m'a fait parvenir un courrier par l'intermédiaire de Kuma. Les autres jeunes prenaient contact par téléphone portable ou par mail, c'est pourquoi sa lettre a retenu mon attention.

Par une agréable journée de printemps, Momo est arrivée à *L'Escargot* à bicyclette, avec Satoru dans son sillage. Elle était lycéenne, elle allait à l'école en ville, et son visage portait encore les traces de l'enfance.

Quelques jours plus tôt, lorsqu'elle était venue seule pour l'entretien, c'était une jeune fille gaie et vivante qui m'avait longuement parlé de sa famille et de ses camarades. Mais, devant Satoru, elle était réservée et douce comme un agneau. Peut-être avaient-ils le trac car, même après s'être installés à table, ils n'ont pas échangé un seul mot. Ils étaient attendrissants.

Je les ai laissés à leur timidité et suis retournée en cuisine préparer la soupe. J'ai jeté un coup d'œil dans la salle, un rayon de soleil entré par la fenêtre palpitait doucement au-dessus de la table, faisant scintiller jusqu'à la poussière qui flottait dans l'air. J'avais un peu l'impression d'être devant un beau tableau.

Pour faire éclore l'histoire d'amour de Momo, j'avais puisé dans mon expérience limitée en la matière et, depuis plusieurs jours, je réfléchissais beaucoup à ce que je pourrais cuisiner. Au début, je penchais pour quelque chose de sucré, alors j'ai testé un gâteau aux pommes, un gâteau à la broche, des crêpes. Mais, en y goûtant, je me suis imaginée avec mon amoureux en face de moi : rien qu'à cette idée, mon cœur s'est emballé, je ne pouvais plus rien avaler.

C'est vrai, moi aussi à cet âge j'étais assaillie par cette espèce de tristesse langoureuse, ce sentiment doux-amer propre à l'éclosion de l'amour, et il me suffisait de penser que j'étais amoureuse pour me sentir rassasiée. Et puis, un plat pour lequel il faut savoir bien manier la fourchette et le couteau, pour un premier repas avec la personne qu'on aime, c'était décidément à éviter.

Donc, j'avais décidé de préparer une soupe, facile à avaler même quand on est très nerveux, complètement crispé et que la moindre acidité vous donne des brûlures d'estomac. Je n'avais pas vraiment réfléchi aux ingrédients, j'attendais de voir le jeune couple pour décider, à l'inspiration.

J'ai fait mon choix dans les légumes que j'avais à la cuisine, je les ai taillés en julienne et fait revenir dans du beurre, en commençant par ceux qui mettent le plus longtemps à cuire. Du potiron, pour l'écharpe de Satoru, d'un beau jaune moutarde vif, car elle était jolie. Des carottes aux couleurs du soleil couchant qui emplissaient le ciel de l'autre côté de la fenêtre. Et pour finir, des pommes, parce que c'est ce que m'évoquaient les mignonnes joues rouges de Momo.

Dans la cocotte, un tas d'images se superposaient, fusionnaient au fur et à mesure. On aurait dit un peintre qui choisit d'instinct ses couleurs. Je cuisinais sur le vif, en me fiant uniquement à mon intuition.

Après avoir fait cuire les légumes dans du bouillon avec une feuille de laurier, je les ai réduits en purée avec mon mixeur plongeant pour obtenir une soupe bien épaisse à la couleur délicate. L'amour n'a pas besoin d'artifices, alors j'ai simplement ajouté une pincée de sel. Ni lait ni crème fraîche pour la touche finale, ni condiments ni épices pour faire ressortir les saveurs, rien de plus.

J'ai versé la soupe fumante dans une soupière rouge en forme de cœur et l'ai aussitôt apportée à table. Pendant que les légumes cuisaient, j'avais dressé le couvert. Tout était organisé pour qu'ils puissent manger la soupe bien chaude.

Lorsque j'ai soulevé le couvercle, une appétissante fumée s'est élevée. Comme une fée chargée d'éveiller l'amour. Pendant que je remplissais avec précaution les assiettes en bois, en faisant attention à ne pas en renverser, je sentais le regard des deux jeunes sur mes mains. J'ai posé les assiettes devant eux, avec une cuillère en bois sur chaque petit set de table en feutrine. Dans la soupière rouge, il restait encore largement de quoi se resservir.

Bon appétit.

Après m'être profondément inclinée et leur avoir souri, je suis repartie à la cuisine.

Plus tard, quand il a commencé à faire nuit, je suis allée poser une bougie en cire d'abeille sur la table. Satoru avait changé de place, il s'était assis à côté de Momo. Le cœur battant, j'ai soulevé le couvercle de la soupière ; elle était vide.

— C'était bon, a soufflé Momo d'une toute petite voix.

Elle semblait habitée d'un souhait ardent, celui de ne pas troubler les vibrations de l'air, même imperceptiblement. Serrés l'un contre l'autre, ils partageaient leur chaleur, comme un couple d'oiseaux.

Vous n'avez pas froid ?

En faisant attention à ne pas gâcher l'ambiance, j'ai griffonné la question sur mon carnet, que j'ai tendu à Momo. C'est alors que je me suis aperçue qu'ils se tenaient par la main, sous la table. J'avais contribué à leur bonheur, certes modestement, mais dans mon cœur aussi, la flamme de la bougie en cire d'abeille a répandu sa lumière.

Je suis retournée à la cuisine sans rien débarrasser, ni les assiettes en bois, ni les cuillères, ni la soupière en forme de cœur. Pour qu'ils puissent se bécoter à leur aise, j'ai fait couler l'eau dans l'évier le plus bruyamment possible et j'ai nettoyé les ustensiles dont je m'étais servie. Contente que le vœu de Momo se soit réalisé, je fredonnais intérieurement, j'avais envie de me mettre à danser.

Le rangement de la cuisine terminé, j'ai décidé de leur offrir, en guise de félicitations, des mini-macarons, que j'ai disposés sur une petite assiette. Pour que même leur estomac soit coloré en rose, j'ai choisi des macarons fourrés à la crème aux framboises. Comme ça, ils allaient flotter encore un peu plus sur leur petit nuage rose, rien que d'y penser, un sourire béat m'est monté aux lèvres. Je me suis dirigée vers la table en sautillant. Mais je me suis arrêtée net sur le seuil de la cuisine.

J'ai doucement écarté le rideau ; Momo et Satoru étaient en train d'échanger un baiser au goût de soupe. Face à face, les yeux fermés fort fort fort, ils étaient immobiles comme des statues. J'avais envie de les contempler jusqu'à la fin des temps. Mais j'ai refermé le rideau sans bruit.

Je suis sortie par la porte de derrière à pas de loup et, pendant un moment, je me suis appliquée à désherber le carré d'herbes aromatiques. Les étoiles qui brillaient dans le ciel au-dessus de ma tête semblaient bénir les prémices de leur amour.

J'avais laissé *L'Escargot* à la disposition de Momo et Satoru, ils pouvaient y rester aussi longtemps qu'ils le désiraient. Comme la nuit était tombée, je me disais bien qu'il fallait qu'ils rentrent mais, en même temps, je voulais qu'ils profitent le plus longtemps possible de ces doux moments. Lorsque la lune presque pleine a surgi de derrière les Mamelons, ils se sont enfin levés de table et sont repartis, main dans la main.

Par la suite, la soupe aux légumes de saison est devenue la spécialité de *L'Escargot*. Quelqu'un, sur son blog, l'avait baptisée la *Soupe d'amour* et depuis, ce nom est devenu célèbre.

Je servais donc la Soupe d'amour à tous les clients qui souhaitaient trouver l'âme sœur ou voir un vœu se réaliser. A chaque fois, les légumes et les proportions variaient, et chaque soupe avait une saveur différente, qui me surprenait moi-même.

De ce fait, un changement profond s'est opéré en moi aussi, dans ma façon de considérer les légumes. Jusque-là, je croyais que c'était moi qui faisais toute la différence en cuisine, mais en réalité mon rôle se résume à savoir associer les aliments entre eux. Je l'ai enfin compris. Avant toute chose, il y a les agriculteurs qui cultivent les légumes et, en poussant le raisonnement plus loin, même s'ils cultivent les légumes, ils n'ont pas le pouvoir de créer les graines.

Il me semble que la Soupe d'amour m'a appris quelque chose d'extrêmement important.

Je ne sais pas si c'est grâce à elle, mais par la suite, plusieurs autres jolis petits couples ont vu le jour à *L'Escargot*, d'où ils ont pris leur envol.

Et c'est dans ces circonstances que m'a été confiée la préparation d'un repas pour une rencontre arrangée.

Le bar *Amour* comptait parmi ses clients une femme à la réputation bien établie de marieuse ; elle avait entendu parler de la Soupe d'amour et, par l'intermédiaire de ma mère, elle a lourdement insisté pour que je m'en charge.

Les candidats au mariage étaient tous les deux dans la seconde moitié de la trentaine, et la marieuse voulait absolument que cette rencontre aboutisse.

Moi, je n'étais pas d'accord pour qu'on les pousse au mariage. Néanmoins, s'ils étaient attirés l'un par l'autre mais que le courage de faire le premier pas leur manquait, je voulais bien leur en fournir l'occasion.

D'après la marieuse, l'un comme l'autre avaient déjà multiplié les rencontres, mais ils avaient des idéaux très élevés et personne ne leur convenait. Lui, un fils d'agriculteurs qui hériterait de l'exploitation familiale, travaillait la semaine à la mairie de la ville voisine et aidait aux champs seulement le week-end. Mais ses parents étaient âgés, il allait bientôt devoir leur succéder. Pour reprendre les termes de la marieuse, il était « affreusement timide ». Quant à la jeune femme, professeur de lettres au lycée, c'était « une beauté svelte ».

Il était plus petit qu'elle, un mètre soixante-huit contre un mètre soixante-quinze pour elle. Mais cela ne les gênait ni l'un ni l'autre et leur première impression, par photographies interposées, était plutôt bonne.

Le seul problème, c'était leurs goûts culinaires, diamétralement opposés.

Lui aimait la cuisine occidentale roborative, poisson ou viande, tandis qu'elle était presque végétarienne. J'avais beau me torturer les méninges, je ne voyais pas comment leur servir le même menu. En admettant qu'ils se plaisent et se marient, je m'inquiétais même de les voir se séparer un jour pour cause de divergences alimentaires.

— Débrouille-toi comme tu veux, Rinco, mais tu dois réussir, m'avait intimé la marieuse de sa voix suave à la fin de l'entretien, puis, après m'avoir donné une grande claque dans le dos, elle était repartie.

Le jour dit, mes deux convives, après une première rencontre chez la marieuse, sont arrivés comme convenu à *L'Escargot* un peu après midi. En robe rose, comme si c'était pour elle que le rendez-vous avait été organisé, la marieuse débordait d'entrain. Les deux principaux intéressés sont entrés derrière elle en se faisant tout petits, l'air complètement désemparé.

La marieuse, après avoir débité son boniment, a lancé :

— Allez, je vous laisse, les jeunes, à vous de jouer !

Puis elle est partie en me décochant un clin d'œil.

Lorsque sa Porsche rouge a démarré sur les chapeaux de roue dans un rugissement de moteur, nous venions à peine de faire connaissance, mais nous avons tous les trois poussé un soupir de soulagement. Ensuite, je me suis ressaisie et j'ai entamé les préparatifs pour le repas. Presque aucun bruit de conversation ne me parvenait de la salle.

Vu les goûts culinaires des deux convives, finalement, je n'avais trouvé que cette solution : un repas français exclusivement végétarien. On a souvent tendance à penser qu'il est impossible de cuisiner français sans poisson ni viande, mais les légumes, s'ils ont une force intrinsèque, peuvent jouer un rôle de premier plan dans un menu. Il y a un secret à cela.

Je me suis remémoré mon apprentissage dans un restaurant français : délicatesse des saveurs et audace dans l'esthétique, des principes que je me suis efforcée de respecter en mettant la dernière main aux plats.

En entrée, salade de fraises. J'avais mis de la roquette, du cresson frais et des fraises à macérer dans une réduction de vinaigre balsamique.

Pour le premier plat principal, des carottes frites. Des carottes avec leur peau, simplement coupées en deux dans le sens de la longueur et roulées dans de la chapelure, frites à point à l'huile végétale. Servies avec une garniture de salade de légumes, on aurait dit, étonnamment, de magnifiques crevettes panées.

En deuxième plat principal, un steak de radis blanc. Du radis blanc, préalablement blanchi et poêlé avec des shiitakés semi-séchés. En assaisonnement, sel, sauce de soja et huile d'olive.

Au début du repas, mes deux convives, la tête baissée, avaient demandé « juste de l'eau ». Mais un peu plus tard, sans doute ont-ils eu envie de boire de l'alcool, car ils ont commandé chacun un verre de vin, du rouge et du blanc. La conversation était toujours quasi inexistante, mais l'atmosphère n'était pas oppressante pour autant, leur visage le disait clairement.

Pour continuer, puisqu'il ne s'agissait pas de cuisine française au sens strict, j'avais préparé un risotto. J'y ai ajouté des épinards réduits en purée, de l'orge perlé et des noix finement concassées pour donner du volume, des tomates séchées et du persil.

Enfin, pour la Soupe d'amour, j'avais mixé tous les légumes que j'avais en stock.

Oignon, poireau, pomme de terre, épinard, potiron, carotte, patate douce, poivron, grande bardane, racine de lotus, radis blanc, chou chinois, chou-fleur… Et aussi une poignée de cresson cueillie dans le fossé, du céleri *seri* et du persil *mitsuba*. Sans oublier la peau du radis blanc cuit en steak et les fanes de carottes.

J'ai goûté une seule cuillerée de soupe, et j'ai failli m'évanouir. Il n'y avait même pas besoin de la saler, la saveur des légumes se suffisait à elle-même.

Pendant que la crème brûlée de patates douces violettes pour le dessert cuisait au four, le cœur battant, je suis allée jusqu'à la table de mes convives. Là, j'ai écrit sur le carnet que j'avais mis dans la poche de mon tablier et je le leur ai tendu :

Le repas vous a-t-il satisfait ?

— C'est la première fois que je fais un aussi bon repas à base de légumes !

C'est la prof qui a parlé en premier. L'agriculteur a ajouté :

— C'était excellent. Ces légumes, vous les faites venir exprès de quelque part ?

C'était la question que j'espérais et, intérieurement, j'ai bondi de joie. Alors, je me suis dépêchée d'écrire dans mon carnet. Mais j'étais tellement contente que mes doigts n'écrivaient pas assez vite ce que j'avais à dire. Agacée, j'ai fini par leur expliquer à grand renfort de signes et de mimiques que tous les légumes venaient de son exploitation à lui.

— Hein ?

L'agriculteur était stupéfait. Le regard que la prof posait sur lui a brusquement changé.

En fait, quelques jours plus tôt, j'avais demandé à Kuma de me conduire à l'exploitation du jeune homme, pour m'y approvisionner en légumes. Mais le secret avait été bien gardé jusqu'à aujourd'hui. D'après la marieuse, il n'était pas très fier d'être l'héritier d'une exploitation agricole.

Le repas d'aujourd'hui lui permettrait peut-être de se débarrasser de ce complexe. Cette possibilité me réjouissait encore plus que l'issue de la rencontre arrangée.

Au même moment, la minuterie du four a retenti dans la cuisine et j'ai quitté la salle en hâte. J'ai saupoudré la crème de cassonade et l'ai caramélisée au chalumeau de cuisine : bien croustillante à l'extérieur mais fondante à l'intérieur, la crème brûlée était prête, avec pour seul sucre celui des patates douces violettes. Bien entendu, ces ignames aussi venaient des champs de mon convive.

J'ai vite servi le dessert avant qu'il refroidisse, puis j'ai apporté une pleine théière de thé à la rose au délicat parfum. Au moment du dessert, ils ont enfin commencé à discuter.

Un peu plus tard, ils ont quitté *L'Escargot* avec la marieuse qui était revenue dans une nouvelle robe. Avant de partir, l'agriculteur a tenu à me serrer la main. Sa main rugueuse a pressé fort la mienne.

Dehors, la nuit tombait déjà. Le ciel était couleur de flamant rose. L'image du visage de mes deux convives, bien plus serein qu'à leur arrivée, a longtemps flotté à la surface de mon cœur comme une jolie tache de couleur.

Pour autant, tous les habitants du village ne nous voyaient pas d'un bon œil, *L'Escargot* et moi.

C'est arrivé lorsque la rumeur a commencé à se répandre. Un beau jour, plusieurs agents des services d'hygiène et de santé ont débarqué à l'improviste.

Quelqu'un leur avait signalé que dans ce restaurant, on mélangeait du *triton grillé* aux plats. Le plus âgé des préposés m'a expliqué que, selon la légende, en grillant et pilant deux tritons, un mâle et une femelle, on obtenait un puissant philtre d'amour dont on saupoudrait en cachette la personne visée ou qu'on lui faisait ingérer, mélangé à de l'alcool.

Pour ma part, c'était la première fois que j'entendais parler de *triton grillé* et, si j'aimais bien regarder les tritons vivants agiter leurs pattes au bord de l'eau, il ne m'était jamais venu à l'esprit de les faire griller et de les réduire en poudre. Les agents se sont montrés compréhensifs ; ils ont néanmoins inspecté tous les tiroirs de la cuisine, sans résultat.

Et comme c'était justement l'heure du déjeuner, nous avons mangé tous ensemble un *waïwaï-don* et ils sont repartis.

Le *waïwaï-don*, c'est un bol de riz garni de spaghettis à la sauce tomate, un plat très nutritif inventé par ma grand-mère, sa spécialité quand elle manquait de temps. Elle le servait souvent au représentant qui réapprovisionnait l'armoire à pharmacie ou aux ouvriers du téléphone venus faire des travaux sur la ligne.

L'affaire du triton grillé était plutôt risible mais, quelques jours plus tard, s'est produit un incident beaucoup plus sérieux.

Un homme, présenté par une connaissance de Kuma qui avait joué les intermédiaires, m'a contactée par mail. Normalement, le mieux aurait été d'organiser une rencontre au plus tard la veille de sa visite, mais comme il était très occupé, nous avons procédé par échange de courriels.

Les messages qu'il m'envoyait, toujours brefs, ne répondaient même pas à la moitié de mes questions. Le personnage ne semblait pas tellement aimer parler de lui.

Les rumeurs sur *L'Escargot* lui étaient peut-être arrivées aux oreilles, lui donnant envie d'aller y manger, pour voir. Rien d'étonnant à ce que ce genre de client fasse son apparition.

Il disait pouvoir se libérer entre quinze et seize heures seulement. Du coup, dans l'urgence, j'avais décidé d'accepter deux réservations le jour en question, je le servirais avant les clients du soir. Son budget était de mille yens au maximum et il voulait un sandwich, c'était le seul souhait que j'avais réussi à lui soutirer.

A peine deux ou trois heures après avoir déjeuné, il ne pourrait manger un sandwich ni trop consistant, ni trop lourd. Ce serait justement l'heure du goûter, alors, j'ai décidé de lui préparer un sandwich aux fruits.

C'était la saison des poires. J'ai immédiatement enfourché l'escargot et je suis allée dans un verger, à la lisière du village. Choisissant des poires qui seraient mûres à point le jour où je préparerais le sandwich aux fruits, je les ai rapportées au restaurant. Au bout de quatre ou cinq jours dans la cuisine de *L'Escargot*, les fruits exhalaient un léger parfum sucré.

Le jour J, debout à l'heure où l'odeur de la nuit persiste encore, j'ai commencé les préparatifs. Même Hermès dormait encore en émettant des ronflements sonores.

J'ai préparé le pain pour le sandwich aux fruits, un pain de mie anglais avec des raisins dans la pâte. Les raisins, mis à tremper la veille au soir, étaient bien souples. J'ai écrasé le pâton à plusieurs reprises sur le plan de travail de la cuisine, le pétrissant bien pour obtenir un pain à la mie serrée et élastique. La farine, qu'un agriculteur du coin avait enfin accepté de me fournir, était bio, de production locale. Je me faisais peut-être des idées, mais j'avais l'impression qu'avec de la farine japonaise, au pétrissage, la texture était différente. Une fois pétrie, j'ai laissé la pâte lever longtemps.

Pour la crème, j'ai mélangé en quantités égales ma crème fraîche habituelle et une crème de yaourt débarrassé de son petit-lait. La crème de yaourt se prépare de la même façon que le *shrikhand*, un dessert indien que mon amoureux me faisait souvent pour le goûter.

En enveloppant, le soir, du yaourt dans un morceau de gaze suspendu au-dessus de l'évier, le lendemain matin, le yaourt est comme aplati, il ne reste dans la gaze que la crème onctueuse. Si on utilise seulement de la crème fraîche, les sandwichs aux fruits sont trop lourds, et avec seulement de la crème de yaourt, ils n'ont pas assez de goût. Mais en mélangeant les deux, on obtient exactement la bonne saveur et la bonne texture, qui enveloppe parfaitement les fruits juteux. On peut alors glisser des fruits entre deux tranches de pain sans craindre qu'il soit détrempé par leur jus.

Le pain de mie aux raisins a fini de cuire peu après midi. Il ne me restait plus qu'à confectionner le sandwich juste avant l'arrivée du client ; entretemps, je préparerais le dîner.

Il s'agissait d'une fête pour neuf convives, ce qui était beaucoup pour *L'Escargot*. Leur souhait était apparemment de sceller les retrouvailles de deux personnes bien précises du groupe. Pour qu'ils puissent manger tous ensemble, de façon conviviale, j'avais opté pour une bouillabaisse servie dans une grosse marmite en terre. Dans la matinée, Kuma m'avait livré les poissons et les coquillages dont j'aurais besoin.

Quand j'ai réalisé qu'il était déjà quatorze heures trente passées, je me suis dépêchée de préparer le sandwich aux fruits. Afin d'éviter que les odeurs de poisson ne contaminent le pain, je me suis soigneusement récuré les mains, du savon jusqu'aux coudes. Tous les déchets de poisson étaient enfermés dans des sacs en plastique entreposés dans le seau réservé à la préparation de la bouillie pour Hermès. Après m'être une nouvelle fois lavé les mains avec, pour plus de sécurité, un mélange de dentifrice et de bicarbonate de soude, je me suis concentrée et j'ai tranché le pain de mie avec un couteau à pain. A cause du dentifrice, j'avais les mains transies de froid, à un point presque douloureux.

Pour éviter que le pain ne soit détrempé et aussi pour rehausser les saveurs, j'ai tartiné les tranches d'une fine couche de chocolat au lait fondu au bain-marie. Le chocolat au lait se marie mieux que le noir avec la crème et les fruits. Quand on croque dans le sandwich, le jus des fruits jaillit d'entre les tranches de pain bien moelleux, puis, en mastiquant, une légère saveur de chocolat se déploie dans la bouche.

J'ai mélangé la crème fraîche et la crème de yaourt, avec un soupçon de miel pour l'adoucir. En insistant beaucoup, j'avais réussi à acheter du miel à un employé de bureau des environs, également apiculteur à ses heures.

Enfin, à la dernière minute, j'ai pelé et détaillé les poires en fines lamelles et je les ai disposées sur le pain tartiné de crème. Le sandwich était prêt.

Coupé en morceaux faciles à manger et apprêté sur une assiette, il offrait à la vue une superbe gradation – blanc pur du pain de mie, blanc laiteux de la crème et blanc aux nuances de jade de la poire –, soulignée par les raisins, comme de jolis pois.

Lorsque l'homme est arrivé, je me suis profondément inclinée en guise de salutation de bienvenue et j'ai commencé le service.

Il était plus âgé que je ne l'avais supposé d'après nos échanges de mails, coiffé avec la raie sur le côté, les cheveux davantage blancs que gris. Petit mais râblé, il portait une chemise à rayures bleues et blanches et un gilet en laine bleu marine de bonne qualité. Autour de son cou, un foulard rouge foncé, négligemment noué.

Il avait l'air beaucoup plus distingué que je ne l'imaginais. C'est toujours difficile de cuisiner pour un inconnu, et j'étais un peu nerveuse.

Instantanément, à son visage et son maintien, j'ai décidé quelle variété de thé j'allais lui servir. J'ai mis de l'eau à chauffer et fait infuser le thé, en préparant tout rapidement afin qu'il puisse commencer à manger sans tarder.

J'avais choisi du Lapsang Souchong, un thé épicé, à la saveur plutôt marquée. Vu la délicatesse du sandwich aux fruits, ce thé aurait l'avantage d'apporter un contraste. Si la crème paraissait un peu lourde en bouche, une gorgée de Lapsang

Souchong reposerait le palais et la gorge. Après avoir disposé sur la table le sandwich aux fruits et le thé, j'ai fait comme toujours ma révérence de ballerine et j'ai refermé le rideau, patientant discrètement à l'entrée de la cuisine.

La cuisson du pain, le moelleux des raisins, la crème pas trop sucrée, les poires bien mûres, à mes yeux, tout était parfait. C'était même peut-être le meilleur sandwich aux fruits que j'aie jamais confectionné. J'attendais, le cœur gonflé d'espoir. Mais cette illusion n'a duré qu'un bref instant.

— Qu'est-ce que c'est que ça ?

Soudain, le fracas d'un poing s'abattant sur la table a retenti. Sous le choc, les assiettes et la tasse posées sur la table ont tinté.

J'ai surgi de la cuisine, me précipitant vers l'homme. Que se passait-il ? Je n'y comprenais rien. Au début, j'ai même cru que c'était une blague, qu'il cherchait à me faire peur. Mais ce n'était pas le cas.

— Non mais, dites donc !

Ce qu'il regardait fixement d'un air dégoûté, c'était un cheveu. Plus précisément, un poil pubien.

— Voilà ce que j'ai trouvé dans mon sandwich, qu'est-ce que c'est que ce restaurant ?

Cette fois, il a heurté la table du bout du pied, par-dessous. Dans un fracas épouvantable, le couvercle du sucrier a dégringolé.

Le poil frisé, couvert de crème par endroits, était coincé entre les deux tranches de pain que l'homme avait écartées.

J'avais la tête presque entièrement rasée et, pour plus de prudence, couverte d'une serviette en coton. Je prenais sans cesse le plus grand soin à éviter qu'un corps étranger ne se mêle aux plats. Et puis, on n'était pas dans un bar à striptease ici, pour cuisiner, je portais des sous-vêtements et un pantalon. Et je n'avais pas mauvaise vue non plus. J'avais encore vérifié ce sandwich quelques minutes plus tôt. Il était impensable de trouver une telle chose à un tel endroit.

L'homme s'est aussitôt levé et a quitté *L'Escargot*. Au moment de sortir, il m'a mis sous le nez un cliché pris avec son appareil photo numérique. Sur l'écran, un gros plan du sandwich aux fruits avec le poil pubien à l'intérieur.

Une colère muette a enflé en moi. Je pouvais supporter n'importe quelle injure, mais mon impuissance à offrir une fin honorable à cet innocent sandwich aux fruits m'affligeait profondément. Le poil pubien gisait sur le pain de mie aux raisins, parfaitement obscène.

Depuis quelque temps, je m'efforçais de réutiliser presque tous les restes de *L'Escargot* pour nourrir Hermès. Mais là, ce sandwich aux fruits, ça me dégoûtait de le lui donner.

Le sandwich confectionné avec amour est entièrement parti à la poubelle. Je souffrais autant que si j'avais dû noyer mon propre enfant, le fruit de mes entrailles, vivant, en pleine mer.

Comme pour l'accompagner, une de mes larmes, une seule, a roulé dans la poubelle.

J'ai ajouté du lait et une bonne dose de sucre au Lapsang Souchong qui avait refroidi et j'ai vidé ma tasse d'un trait, debout. Le thé n'avait rien fait de mal.

Un léger picotement m'est longtemps resté sur la langue. Un arôme de fumée, comme si l'eau elle-même avait été boucanée, m'emplissait les narines.

Après avoir vidé la théière, j'ai commencé à retrouver mon calme. J'ai pris une profonde inspiration, mon agitation est peu à peu retombée.

Il faut de tout pour faire un monde. Ma tête avait beau le savoir, mon cœur n'arrivait pas complètement à l'admettre.

Ce que j'ai appris plus tard, c'est que cet homme tenait depuis longtemps une boulangerie à l'autre bout du village. Ces derniers temps, il avait moins de clients et ses affaires ne marchaient pas bien, d'après ce que Kuma avait pu savoir.

Il aurait suffi qu'il poste sa photo sur Internet et, qu'il dise la vérité ou non, il aurait sans doute pu faire couler *L'Escargot* s'il l'avait vraiment voulu. Mais une semaine s'est écoulée, et puis un mois, et toujours aucune calomnie susceptible de nuire à *L'Escargot* ne circulait.

Celui qui a été le plus choqué par cette affaire, c'est Kuma. Il regrettait de m'avoir présenté cet homme qu'il ne connaissait pas personnellement et n'arrêtait pas de s'excuser. « Rinco, pardon de t'avoir fait subir cette épreuve. »

Après cette mésaventure, Kuma et moi, nous nous sommes montrés plus vigilants avant d'accepter une réservation, et pour ce qui était des corps étrangers dans la nourriture, même si cet incident n'était pas lié à une négligence de ma part, j'ai redoublé d'attention.

Peut-être était-ce, alors que *L'Escargot* commençait à bien marcher, un mauvais ange envoyé par les divinités de la cuisine pour m'empêcher d'attraper la grosse tête.

C'est durant la deuxième quinzaine du mois de novembre qu'une petite fille coiffée au bol a soudain déboulé à *L'Escargot*. Le sommet des Mamelons blanchissait déjà, comme paré d'un soutien-gorge en dentelle.

Une fin d'après-midi où le ciel avait commencé à se couvrir, j'étais en train de préparer des steaks hachés pour les clients du soir, une famille de six personnes.

La fillette, l'air affolé, la mine grave, semblait prête à fondre en larmes, comme les nuages dans le ciel.

— Aidez-moi, s'il vous plaît ! a-t-elle crié d'un ton implorant dès qu'elle m'a vue.

Les mains pleines de viande hachée, je ne pouvais pas sortir mon carnet, alors je l'ai regardée d'un air interrogateur. Je n'avais jamais entendu dire qu'un pervers sévissait dans le quartier, mais, imaginant des choses déplaisantes, je me suis fait la réflexion que si c'était le cas, ce serait bien ennuyeux.

Mes élucubrations ont vite pris fin lorsque la petite fille a posé son cartable par terre et, avec le plus grand soin, comme si elle manipulait un objet dangereux, a tiré une boîte du sac en papier qu'elle tenait à la main.

Une amulette élimée était accrochée à son cartable rouge vif assez usé, sur lequel son nom était écrit de la main d'une femme adulte. Son prénom était Kozue.

Kozue s'est approchée de la table, portant la boîte avec précaution, ses mains soutenant le fond, et l'a délicatement posée dessus. Puis elle a doucement ouvert le couvercle et m'a montré son contenu. A l'intérieur, il y avait un lapin.

— Il est tout faible. S'il vous plaît, aidez-moi ! a de nouveau plaidé Kozue en me regardant fixement.

Pour commencer, jugeant que l'état de la fillette était plus critique que celui du lapin, je me suis vite lavé les mains et j'ai décidé de lui préparer quelque chose à boire.

Comme je n'avais pas encore allumé le poêle, il régnait un froid glacial dans la salle et l'on avait beau être à l'intérieur, on voyait son haleine s'échapper en petits nuages blancs. J'allais lui préparer un chocolat chaud pour la réchauffer, et la réconforter aussi.

Dans la cuisine, avec un couteau, j'ai détaillé du chocolat au lait en copeaux que j'ai mis à fondre à feu doux dans une casserole émaillée, en l'allongeant avec du lait. Sur ses genoux, Kozue serrait fort la boîte contenant le lapin, ses jambes tremblaient.

Pendant que le chocolat chauffait, j'ai tiré vers moi le carnet posé tout près et, l'ouvrant à une nouvelle page, j'ai écrit en gros caractères enfantins : *Qu'est-ce qu'il t'arrive ?* Si mon écriture ressemblait à celle d'un enfant, c'est parce que, la main droite occupée, je pouvais seulement écrire de la gauche. Pour éviter que le chocolat n'accroche, je devais battre sans cesse le fond de la casserole avec le petit fouet que je tenais dans la main droite.

Quand le chocolat m'a paru suffisamment chaud, j'ai ajouté une bonne dose de miel et, pour réveiller le goût, quelques gouttes d'un excellent cognac. Puis je l'ai délicatement coiffé d'un nuage de crème chantilly et d'une feuille de menthe fraîche. La menthe, avec ses propriétés apaisantes, était tout indiquée dans l'état actuel de Kozue.

Chargée du chocolat fumant et de mon carnet, je me suis dirigée vers la table à laquelle la fillette était installée. Elle tremblait toujours, de froid et d'inquiétude.

Je lui ai tout de suite montré mon carnet ouvert.

Ensuite, j'ai versé le chocolat chaud dans deux bols et en ai posé un devant elle.

Je lui ai fait signe de boire et Kozue, la boîte du lapin toujours posée sur ses genoux, a timidement tendu la main vers le bol. Sur ses petits ongles, elle avait dessiné des lapins au feutre de couleur. A travers la vapeur qui montait du bol, une expression fugace de soulagement est passée sur son visage, comme si son angoisse avait un instant reflué.

Elle a bu une gorgée de chocolat et m'a raconté, d'un seul trait, l'histoire du lapin.

C'était environ une semaine plus tôt que Kozue, en rentrant de l'école, avait trouvé ce lapin sur le bord de la route.

A ce moment-là, il était dans un carton plus grand, avec de l'herbe sèche et de la nourriture. Il y avait aussi une lettre, apparemment écrite par le propriétaire de l'animal. Kozue l'a sortie de sa poche et me l'a montrée.

Pour certaines raisons, je ne peux plus m'occuper de ce lapin.

Sur la feuille blanche, seulement ces quelques mots imprimés.

Kozue a rapporté le lapin chez elle.

Mais sa mère n'aimait pas les bêtes et elle n'a pas accepté de le garder à la maison. Rapporte-le où tu l'as trouvé, s'est-elle fâchée, mais Kozue a eu pitié de l'animal et n'a pu se résoudre à l'abandonner. Alors, elle s'en est occupée en cachette, l'enfermant le soir dans le placard de sa chambre et l'emportant à l'école dans la journée. Mais il a peu à peu cessé de s'alimenter et, depuis deux jours, il ne mangeait plus rien du tout.

Après m'avoir raconté les événements jusqu'à aujourd'hui, Kozue a entouré de ses deux mains le bol qui avait un peu refroidi et a bu d'un coup tout le chocolat qui restait.

Avec le souci qu'elle se faisait pour le lapin, elle n'avait sans doute pas beaucoup dormi.

Sous l'effet du chocolat chaud au cognac, peut-être, son visage s'est un peu adouci.

J'ai pris sur les genoux de Kozue le carton contenant le lapin anorexique et, approchant mon visage, je l'ai examiné. Un léger parfum champêtre m'a effleuré les narines.

Une belle fourrure gris argenté, comme un évier bien récuré.

L'intérieur des oreilles, d'un délicat rose saumon.

Des yeux tout noirs, brillants comme de la gelée au café.

Tous ces signes disaient silencieusement les bons soins dont, jusqu'à présent, il avait été l'objet. C'était du moins ce qu'il me semblait.

Deviner qu'il n'avait pas été abandonné par son maître après avoir été maltraité et battu était, pour Kozue comme pour moi, la seule consolation qui nous était accordée dans cette situation difficile.

J'ai attrapé mon stylo, cette fois-ci de la main droite, et j'ai écrit dans mon carnet, que j'ai tendu à la fillette :

Est-ce que tu serais d'accord pour me laisser le lapin, une journée seulement ?

Après avoir lu mon message, elle a mordu ses lèvres toutes rouges et a résolument hoché la tête, une seule fois.

Si j'arrivais à faire un miracle, peut-être Kozue accepterait-elle de faire désormais confiance aux adultes.

Mais si je trahissais ses espoirs…

A coup sûr, elle m'en voudrait toute sa vie. Et elle douterait de chaque parole prononcée par un adulte.

Il ne me restait que vingt-quatre heures. Il fallait que je réussisse.

Kozue m'a promis de revenir le lendemain à la même heure, puis elle a remis son cartable sur son dos et elle est repartie seule dans le vent du nord.

Tout de même, un lapin anorexique...

Restée seule à *L'Escargot* avec lui, j'ai poussé un gros soupir.

Mon restaurant avait beau être un peu particulier, je n'avais encore jamais cuisiné pour un lapin anorexique.

Il était déjà difficile de soigner les humains atteints de cette maladie, c'était tout juste si un spécialiste, au terme d'une longue thérapie, parvenait enfin à leur faire avaler une bouchée, alors, un animal... Sans communication orale, il n'était évidemment pas question de thérapie, et on ne pouvait pas non plus lui faire faire un dessin qui révélerait son moi profond. Le lapin dans sa boîte était toujours posé sur mes genoux, et j'étais complètement perdue.

Pour éviter de l'effrayer, j'ai réchauffé mes mains en soufflant doucement sur mes doigts et je lui ai précautionneusement caressé le dos.

J'ai senti ses vertèbres qui pointaient.

Effectivement, il était maigre.

Ses oreilles étaient toutes molles, ses fines moustaches d'un blanc laiteux sans tonus. J'ai pincé entre mes doigts sa queue ronde semblable à une pelote de laine, il est resté de marbre. Même si je le chatouillais un bon coup, il ne réagirait sans doute pas du tout, c'était clair comme le jour.

J'ai précautionneusement glissé mes paumes sous son ventre et l'ai soulevé à deux mains. Son cœur, comme s'il était à vif entre mes mains, battait follement tout contre ma paume.

C'était la preuve irréfutable qu'à cette minute, il était bien vivant. Mais à part son cœur, tout en lui était mou comme un gâteau de riz gluant fraîchement préparé, il ne bougeait pas d'un cil.

Je l'ai regardé bien en face, il avait les yeux dans le vague, sans qu'on puisse déterminer ce qu'il regardait. S'il m'avait fallu mettre des mots sur ce regard, j'aurais dit que ses prunelles noires comme de la gelée de café étaient tournées vers un lointain passé. Il paraissait plonger le regard dans un vieux puits à l'épaisse obscurité sans fond, et cette vue semblait l'alarmer.

Lapin léthargique, enfoncé dans sa solitude et désespéré...

Si j'avais été psychologue pour animaux, voilà la conclusion à laquelle je serais arrivée.

Renonçant à tirer une quelconque réaction du lapin, je l'ai délicatement reposé dans son carton.

Les convives du soir étaient une famille de six personnes.

C'était l'épouse, femme au foyer, qui avait effectué la réservation. Son mari tenait un pressing dans le quartier thermal du village.

Ils voulaient fêter l'anniversaire du grand-père qui vivait avec eux.

Et toute la famille souhaitait un menu enfant, m'avait-elle précisé.

— Vous comprenez, il perd un peu la boule...

La dame, venue exprès au restaurant quelques jours plus tôt pour l'entretien, m'avait fait la confidence d'un air un peu embarrassé, la voix sourde, comme si une brume pesait sur ces mots-là.

Le gâteau chiffon au thé matcha et aux haricots rouges confectionné la veille au soir attendait déjà au réfrigérateur. Nombre de bougies sur le gâteau d'anniversaire : quatre-vingt-cinq. Mais comme il était matériellement impossible de planter quatre-vingt-cinq bougies dessus, j'en avais préparé huit grosses et cinq plus petites.

Il ne me restait plus qu'à faire revenir le riz à la sauce tomate et mettre les steaks hachés à cuire en temps voulu en attendant l'arrivée de la famille. Dans le poêle à bois allumé un peu plus tôt, la flambée avait bien pris et une douce chaleur régnait à l'intérieur de *L'Escargot*.

Profitant de quelques minutes de liberté, j'ai mis dans une petite assiette destinée au lapin quelques carottes glacées – j'en avais trop fait pour le menu enfant du dîner – que j'ai écrasées avec le dos d'une fourchette. Ses carottes étaient si extraordinaires que je me fournissais maintenant régulièrement chez le fameux agriculteur venu déjeuner un jour. J'en ai goûté une bouchée, elles étaient très légèrement sucrées et bien fermes, même après une longue cuisson.

J'ai apporté une caisse à vin, un reste de celles utilisées pour le canapé-lit, j'ai étalé du papier journal à l'intérieur et posé côte à côte la coupelle avec la purée de carottes glacées et un petit bol d'eau. Après avoir installé le tout dans un coin de la cuisine où il ne faisait pas trop chaud, je suis allée chercher la boîte du lapin.

Lorsque je l'ai soulevé, il était toujours aussi mou qu'un *mochi*, et si je n'avais pas posé la main près de son cœur pour vérifier s'il battait, je n'aurais pas pu dire s'il était vivant ou mort. Il était complètement léthargique, comme s'il avait renoncé à vivre.

Pour commencer, je l'ai transféré dans sa nouvelle maison. La boîte apportée par Kozue me paraissait trop petite et puis, dans cette caisse en bois posée dans un coin de la cuisine, je pourrais facilement garder un œil sur lui, même quand j'étais occupée.

Je me suis accroupie près de la caisse et, pour voir, avec une cuillère à café, je lui ai présenté une bouchée de carottes glacées. S'il ne voulait rien manger de solide, je pensais qu'il pourrait au moins boire, alors, j'ai aussi tenté d'approcher de sa bouche une petite cuillère remplie d'eau. Comme je m'y attendais, le regard toujours dans le vague, tourné vers un lointain passé, il n'a manifesté aucun intérêt, ni pour les légumes ni pour l'eau. Alors, j'ai eu une idée : je lui ai chatouillé le bout du nez avec une botte de fanes de carottes, sans plus de succès.

Ce lapin semblait réellement anorexique.

Il était maintenant temps de mettre la dernière main aux préparatifs du menu enfant du dîner.

Repoussant provisoirement le lapin à l'arrière-plan de mon esprit, je me suis attelée au dîner. Un lapin anorexique pouvait bien avoir débarqué chez moi, je pouvais avoir manqué de temps pour préparer le repas, rien de tout cela ne concernait les clients. Un vrai professionnel ne laissait pas ce genre d'incidents influer sur sa cuisine.

J'ai mis à contribution tous les brûleurs de la gazinière pour faire cuire en parallèle les steaks hachés, le riz à la sauce tomate, les crevettes panées et le sauté de potiron.

J'ai sorti du vaisselier de grandes assiettes blanches, je leur ai passé un coup de torchon et les ai alignées toutes les six sur le plan de travail. Puis j'ai dressé, tour à tour, une portion de chaque plat sur chacune d'entre elles.

Depuis que je faisais de la cuisine, je n'avais jamais eu l'occasion de préparer un menu spécial enfant.

Celui que j'avais concocté avait des couleurs appétissantes, il était bien équilibré entre légumes, viande et poisson, et tant pour l'apparence que pour le contenu, je le trouvais plutôt réussi.

Nous sommes tous des petits mangeurs, m'avait dit la dame, j'avais donc servi des portions pas trop grosses, mais tout de même suffisantes, à mon avis, pour qu'un adulte ne reste pas sur sa faim.

Jusqu'à la dernière minute, j'ai hésité : fallait-il couronner d'un petit drapeau le dôme de riz à la sauce tomate qui trônait au milieu de l'assiette ? Finalement, dans le dernier quart d'heure, il m'a semblé que le drapeau était nécessaire, alors j'en ai fabriqué avec des cure-dents et du papier. Dessus, j'ai dessiné un escargot avec la craie grasse jaune que je gardais dans un de mes tiroirs.

Quelques minutes plus tard, la famille arrivait dans le monospace conduit par la mère.

A ma grande surprise, cette famille ne comprenait aucun enfant au sens littéral du terme.

L'aîné, un lycéen en uniforme à col Mao, avait déjà des traits d'adulte, et si sa sœur cadette, qui portait le survêtement réglementaire d'un collège des environs, avait encore le visage poupin, ce n'était pas au point de se voir adjuger un menu enfant.

Ensuite venait le grand-père, dont la mère avait dit l'autre jour « il perd un peu la boule », qui poussait lentement, en trébuchant, le fauteuil roulant de la grand-mère impotente. Son visage était dénué de toute expression, comme s'il portait un masque de fer.

C'est seulement plus tard, une fois chacun installé et le repas commencé, que j'ai réalisé que le grand-père ne perdait pas un peu la boule, il était complètement gâteux. Je comprenais un peu pourquoi la dame préférait le cacher. Ce n'était ni son fils ni sa fille qui tenaient au menu enfant, mais l'aïeul pour qui la fête était donnée.

Devant son assiette, le grand-père, toujours sans la moindre expression, enfournait sans répit la nourriture dans sa bouche, parfois lentement, parfois à une vitesse stupéfiante. Dédaignant fourchette, cuillère et baguettes, il mangeait avec les doigts. Par moments, la bouche pleine, il marmottait soudain quelques mots, comme des imprécations. Ni moi ni sa famille, qui avait pourtant toujours vécu avec lui, ne comprenions ce qu'il disait.

D'après ce que je pouvais en juger de l'extérieur, le grand-père était persuadé que son épouse invalide était sa mère. Et il traitait son propre fils et sa bru comme de parfaits inconnus. Ses petits-enfants semblaient être, à ses yeux, « un camarade de guerre et sa petite amie ». Il lui arrivait de débiter subitement des grossièretés qui faisaient rougir les autres membres de la famille.

Néanmoins, quoi qu'il dise, quoi qu'il fasse, personne ne lui faisait de réflexion, toute la famille calquait son rythme sur le sien et partageait le repas avec lui.

Tous les six ont rapidement fini leur menu enfant, pas particulièrement copieux.

J'ai immédiatement desservi la table et changé la nappe, puis j'ai vite préparé le gâteau d'anniversaire.

La dame m'avait prévenue, ils ne disposaient pas de beaucoup de temps.

Dans la salle de *L'Escargot* plongée dans l'obscurité, autour du gâteau couvert de bougies, toute la famille a chanté à l'unisson en frappant dans ses mains « Joyeux anniversaire, grand-père », à plusieurs reprises.

Au début, seule la voix de soprano de la mère, qui chantait un peu faux, chevrotait légèrement.

Mais au fur et à mesure, les trémolos dans sa voix ont gagné celle de sa fille, de son fils, puis de son mari, et enfin, comme une maladie contagieuse, jusqu'à celle de la grand-mère, si bien que pour finir, ils avaient tous des larmes dans la voix.

A la fin de la chanson, après les cris de « Bon anniversaire grand-père ! », ce ne sont pas des applaudissements qui ont retenti, mais des sanglots, presque des cris. On aurait dit, même si la comparaison n'est pas très heureuse, qu'ils pleuraient sa mort, c'était ce genre d'ambiance.

Malgré tout, le grand-père, sans sourciller, a soufflé ses bougies une par une, le souffle court, et, un bref instant, *L'Escargot* s'est trouvé plongé dans un profond silence.

Ils ont mangé le gâteau d'anniversaire sans un mot.

Qu'était-il donc arrivé à cette famille ?

En effet, le grand-père était sénile. C'était clair. Mais pourquoi tous les membres de cette famille affectueuse qui avaient fêté son anniversaire en lui offrant son repas préféré, un menu enfant, étaient-ils en larmes ? Il avait certes perdu la mémoire et oublié les prénoms des siens, mais de là à pleurer de concert pendant la fête…

C'est lorsqu'ils se sont levés de table et que la mère est venue à l'entrée de la cuisine régler l'addition que tout s'est éclairci.

— Ce soir, il part en maison de retraite… m'a-t-elle expliqué avec un pauvre sourire. Nous avons toujours vécu tous les six ensemble, alors, c'est dur.

Elle m'a remerciée en ajoutant :

— Je ne sais pas pourquoi, mais quand il mange un menu enfant, il dort ensuite profondément. Nous allons le déposer à la maison de retraite tous ensemble pendant son sommeil. Ça fait longtemps que nous avons décidé de procéder ainsi.

Après m'avoir courageusement donné cette explication, elle a poussé un long et profond soupir.

Le grand-père avait sans doute été un homme sérieux et gentil.

Il ne confiait à personne d'autre le soin de pousser le fauteuil roulant de son épouse impotente, semble-t-il. Jusqu'à la fin, il avait refusé l'aide des autres membres de la famille.

En prenant sa monnaie, la dame a ajouté :

— Mais cela ne veut pas dire que nous ne le verrons plus.

Puis elle a continué d'une voix posée :

— Nous reviendrons. Vous lui referez son repas préféré, d'accord ? Votre menu enfant d'aujourd'hui était bien meilleur que le mien.

Elle est partie à pas pressés vers le monospace dans lequel l'attendait sa famille. Sur la carrosserie, le nom et le numéro de téléphone du pressing étaient peints en gros caractères.

Je suis sortie sur le pas de la porte pour les regarder partir.

Le visage du grand-père assis à l'arrière s'est, un instant, nettement détaché sous le clair de lune.

C'était la pleine lune, ce soir-là.

La bouche ouverte, il fixait passivement un point inexistant. J'ai eu la terrible impression qu'il savait exactement ce qui l'attendait.

Son visage s'est aussitôt dissous, avec la voiture qui démarrait, dans la froide nuit de cette fin d'automne. Mais son expression m'avait frappée. Parce qu'il avait le même regard que le lapin anorexique.

Je suis retournée dans la cuisine après le départ des convives et je me suis accroupie à côté du lapin pour l'observer.

Il était toujours complètement léthargique, ni éveillé ni endormi, les pattes inertes, étendu au fond de la caisse en bois.

Toi, si je ne fais rien, tu vas mourir.

En mon for intérieur, je me suis adressée à lui. Mais cela n'atteignait pas le lapin enfermé en lui-même.

A tout hasard, j'avais marqué le niveau de l'eau au feutre sur la paroi extérieure du bol, mais il ne semblait pas avoir baissé ; quant aux carottes glacées, rien n'avait changé depuis que je les avais déposées dans la coupelle.

Malgré tout, même si la situation semblait désespérée, j'avais entrevu un mince rayon d'espoir.

Cela s'était produit un peu plus tôt, lorsque j'avais sorti du réfrigérateur le gâteau d'anniversaire destiné à mes convives.

Le lapin avait imperceptiblement soulevé la tête, jetant un bref coup d'œil au gâteau.

Hélas, un gâteau d'anniversaire devait être servi entier, je n'avais donc pas pu lui en donner immédiatement un morceau, mais son comportement m'avait fourni un indice sur son mystérieux passé.

A force d'y penser, l'histoire du lapin avait enflé toute seule dans mon esprit, comme on forge une légende.

Le rangement fini, j'ai décidé de lui confectionner des biscuits.

Son poil luisant, le fait qu'on l'ait trouvé bien installé dans un carton, la lettre à l'intérieur aussi, tout indiquait qu'il avait été choyé. En somme, il n'avait pas été abandonné par un maître qui ne l'aimait plus. La lettre tapée sur ordinateur pouvait paraître un peu froide, mais, inversement, c'était peut-être l'expression de sentiments confus et réprimés, qui avaient trouvé leur exutoire en une phrase qui condensait tout.

Et sans doute ce lapin possédait-il un pedigree en bonne et due forme.

Je n'étais pas spécialement calée en matière de lapins, mais sa grâce sautait aux yeux et il n'était pas de la même race que ceux qu'on élève généralement à l'école, par exemple. Bref, son propriétaire avait sûrement été quelqu'un d'aisé. Il avait été cajolé, soigné avec amour, élevé comme un membre de la famille.

Ça, c'était le premier niveau de mon raisonnement. Mais mes suppositions allaient encore plus loin, au stade suivant.

Bien qu'il ait été choyé, peut-être que sa vieille maîtresse était morte, ou que son maître avait été contraint d'emménager dans un appartement interdit aux animaux, ou alors qu'un événement qui outrepassait l'amour familial s'était produit. C'était ça, un cas comme celui du grand-père de cette famille venue dîner d'un menu enfant.

Ils voulaient vivre avec le grand-père, qui lui aussi souhaitait vivre avec eux. Mais lorsque la cohabitation était devenue impossible, la famille avait dû prendre une décision extrêmement douloureuse. Ce choix terrible, peut-être le grand-père l'avait-il subodoré, comme on flaire une odeur.

De la même façon, peut-être le lapin avait-il lui aussi deviné la situation intolérable du maître dont il partageait le quotidien. Le grand-père et le lapin : ni l'un ni l'autre ne parlaient, mais la même expression était peinte sur leur visage.

Comprendre les sentiments d'autrui n'allège en rien la souffrance de la solitude.

A l'intérieur du carton dans lequel il avait été abandonné, qu'est-ce que le lapin avait bien pu ressentir ?

J'ai essayé de l'imaginer, mais le courage m'a manqué. L'obscurité totale. Un bruit de pas qui approche. Des voix qui s'éloignent. Une faible lueur. Une tristesse et une solitude indicibles.

Esseulé, il voulait retrouver son maître, il voulait que son maître le reprenne vite dans ses bras ; dans la pénombre, le lapin n'avait-il pas pleuré ? Même sans verser de vraies larmes, en son for intérieur, il avait sûrement sangloté en gémissant. Et ensuite, épuisé par ses pleurs, peut-être ne lui était-il resté que l'hébétude, tellement il désespérait de la vie. Et ce désespoir l'habitait encore. Alors, il avait cessé de s'alimenter.

En malaxant des deux mains les ingrédients pour les biscuits – huile végétale, sucre, noix, farine complète et eau –, je songeais au passé du lapin. Bien entendu, tout cela n'était que suppositions de ma part.

J'aurais parié que, dans sa famille riche, il avait souvent mangé des gâteaux. C'est le sentiment que j'avais eu devant le frigo. Voilà pourquoi, tout à l'heure, il avait fugitivement réagi à l'odeur sucrée du gâteau chiffon.

Alors, si je lui donnais des biscuits, peut-être accepterait-il d'en manger ?

J'ai étalé une fine couche de pâte bien pétrie sur une plaque de cuisson et l'ai saupoudrée de fleurs de lavande séchées. La lavande a un effet apaisant quand on est déprimé. Avec une corne de cuisine, j'ai coupé la pâte en petits morceaux de la bonne taille pour la bouche d'un lapin. Après, il ne restait plus qu'à les mettre à cuire dans le four préchauffé à deux cents degrés.

Le grand-père était-il déjà arrivé à la maison de retraite ? Si possible, j'espérais qu'il était profondément endormi, pour lui éviter des adieux douloureux.

Ce soir, je passerais la nuit à *L'Escargot*.

J'ai préparé le lit d'appoint en caisses à vin recyclées, celui où la Favorite avait rêvé de son défunt amant, mais cette fois-ci, pour moi.

Les biscuits étaient cuits, ils avaient même eu le temps de refroidir.

J'avais également fini de pétrir la pâte à pain pour Hermès.

Aujourd'hui, la journée avait commencé avec un animal, et elle s'achevait avec un animal.

Enfin, plus exactement, elle n'était pas encore terminée.

Tant que le lapin anorexique n'aurait pas ouvert la bouche pour manger, ma journée ne serait pas finie.

J'avais beau essayer d'oublier le regard suppliant, débordant de confiance, de la petite Kozue qui m'avait apporté le lapin, il restait gravé dans mon esprit avec la force de la première étoile du soir clouée dans le ciel.

Je ne pouvais pas manquer à ma promesse.

Avec en tête le mot « responsabilité », le lapin fermement serré contre ma poitrine, je me suis glissée dans le lit. L'hiver approchait à grands pas. Le poêle à bois éteint, le froid a immédiatement envahi l'intérieur de *L'Escargot*.

Le lapin ne me ferait pas tout de suite confiance, je ne me faisais pas d'illusions. Mais s'il avait été dorloté et câliné, non seulement par son maître mais aussi par la famille tout entière, alors il devait avoir besoin de chaleur humaine. A sa place, moi aussi j'aurais aimé que quelqu'un me prenne dans ses bras en silence.

Je me suis allongée sur le canapé-lit, le lapin contre moi. J'ai déposé dans la paume de ma main quelques-uns des biscuits que je venais de préparer et, de l'autre main, je l'ai caressé sans arrêt.

Peu à peu, le doux parfum de la lavande et l'arôme sucré des biscuits se sont répandus sous la couette. J'ai éteint la lumière, seuls les yeux noirs comme de la gelée de café du lapin luisaient à la clarté du dehors. La main sur son corps, j'ai paisiblement fermé les yeux.

Cette nuit-là, je me suis faite la gardienne de la respiration du lapin.

Je me suis réveillée en sursaut à plusieurs reprises, approchant précautionneusement ma main du museau de l'animal parfaitement immobile, pour vérifier qu'il respirait. Chaque fois, l'esprit embrumé, je comptais les biscuits sur la paume de ma main restée ouverte. Hélas, il y en avait toujours le même nombre.

J'ai continué à dormir d'un sommeil léger.

Je ne savais plus si j'étais endormie ou éveillée.

J'avais l'impression de réfléchir sans cesse.

L'inquiétude m'oppressait, le lapin n'allait-il pas mourir ?

A un moment, j'ai réalisé que je gémissais, désorientée, dans mon sommeil troublé.

Nous avions fait connaissance seulement la veille, mais j'étais devenue l'amie inconditionnelle de Kozue et du lapin anorexique. Je ne voulais pas faire de peine à mes amis. Je ne voulais pas les perdre.

Enfin, le ciel a commencé à blanchir et les oiseaux se sont mis à pépier.

Lorsque j'ai rouvert les yeux, réveillée par une sensation étrange sur la paume de ma main, *L'Escargot* était plongé dans un tourbillon de lumière éblouissante et pure. A ce moment-là, un voile noir a brièvement occulté mon champ de vision.

Je ne savais pas pourquoi, mais j'avais dormi plus longtemps que d'habitude.

Dehors, le monde bruissait déjà de vigueur.

Et puis, surprise !

C'était le fameux lapin anorexique qui, de sa mignonne langue rose, léchait obstinément la paume de ma main. Comme la tige d'une plante coupée qui dans l'eau reprend vie, ses oreilles se dressaient bien droites et ses moustaches, contrairement à la veille, débordaient d'énergie.

Mais surtout, les biscuits posés au creux de ma main avaient disparu, jusqu'au dernier !

Un instant, j'ai cru les avoir fait tomber dans mon sommeil. Mais non. Pas de doute, le lapin les avait mangés.

Je l'ai serré dans mes bras, le plus tendrement possible. Pas trop fort pour ne pas l'écraser, mais fermement, avec amour. Puis j'ai mis plein de biscuits dans sa caisse en bois, changé son eau et je l'ai installé à l'intérieur.

Sur ses oreilles, les vaisseaux capillaires bleus et rouges ressortaient en transparence au soleil, dessinant une jolie dentelle.

Ouf ! J'étais fière d'avoir pu respecter la promesse faite à Kozue.

Je me suis vite attelée à la préparation du petit-déjeuner d'Hermès. Au loin, comme pour réclamer son repas, la truie poussait des grognements.

Dans l'après-midi, quasiment à la même heure que la veille, la petite Kozue coiffée au bol est arrivée à *L'Escargot*, l'air aussi chiffonné qu'une prune pas mûre.

Je lui ai tout de suite montré le lapin plein d'allant.

Il était tellement en forme qu'il courait partout dans le restaurant, alors, tout en le plaignant un peu, je lui avais fait un collier d'une de mes vieilles montres et, avec une cordelette, je l'avais attaché dehors, dans le carré d'herbes aromatiques.

Contre toute attente, il n'avait pas regimbé quand je l'avais mis en laisse. Bien au contraire, cela semblait parfaitement lui convenir. C'était encore une de mes hypothèses, mais on pouvait imaginer que la laisse lui apportait au contraire une sorte de stabilité psychologique. Davantage qu'une laisse, il sentait peut-être là un lien affectif.

Kozue a soulevé le lapin d'une main malhabile et l'a serré dans ses bras.

Il avait l'air tellement fragile qu'en fait, elle ne l'avait encore jamais pris dans ses bras. Son refus de s'alimenter n'y était peut-être pas étranger.

Pendant que Kozue jouait avec le lapin, j'ai commencé à préparer le goûter.

Quelques jours plus tôt, j'étais allée ramasser des châtaignes dans la forêt toute proche pour faire des marrons glacés et, avec les brisures, j'avais confectionné des monts-blancs aux marrons. Je les servirais en dessert à mes convives du soir, mais au cas où, j'en avais fait un peu plus. Dans la théière infusait un Earl Grey parfait pour accompagner les monts-blancs un peu lourds.

Il commençait à faire froid, mais j'ai quand même installé une table et des chaises dehors et, une couverture sur les genoux, nous avons pris notre goûter ensemble, le lapin, Kozue et moi. La fillette a posé le lapin sur la couverture, fermement serré dans ses bras. Elle qui avait l'air si renfermé la veille riait gaiement aujourd'hui.

Les dernières vingt-quatre heures avaient été physiquement fatigantes, mais émotionnellement riches.

Le lapin grignotait, au creux de la petite main potelée de Kozue, les morceaux de mont-blanc qu'elle lui offrait. J'étais un peu inquiète à cause du beurre et de l'alcool dedans, mais, après avoir tout mangé, il en réclamait encore en lui léchant la paume de sa petite langue rose pâle. Il adorait vraiment tout ce qui était sucré. Kozue aussi, avec une frimousse aussi mignonne que le lapin, les joues bien rebondies, se régalait de son mont-blanc.

J'étais contente d'avoir ouvert *L'Escargot.*

C'est ce que je me disais en contemplant la crête des Mamelons, joliment saupoudrée de blanc.

— Ma maman est d'accord, je vais pouvoir le garder à la maison. Merci beaucoup !

Kozue, le lapin blotti contre sa poitrine, a lancé la nouvelle d'une voix claire sous le ciel de cette fin d'automne.

A l'entrée du bar *Amour*, un daim nous regardait, immobile.

L'hiver était tout proche.

La magie est un spectacle impromptu.

Un matin de décembre, quand j'ai ouvert les rideaux, dehors, tout était blanc.

Derrière la vitre, du blanc laiteux à perte de vue. Comme si une montagne de blancs battus en neige était tombée du ciel. Les épaules de la

Favorite aussi, dans son manteau de couleur vive, étaient sans doute constellées de flocons d'un blanc pur.

A Noël, j'ai cuisiné pour un couple gay qui s'était réfugié au village. Pour eux, ce voyage était une lune de miel secrète. Je ne voulais pas casser l'ambiance romantique, alors j'ai décidé, avec l'aide de Kuma, de leur livrer le dîner au bungalow où ils étaient descendus, au bord du lac.

Sur le chemin du retour, j'avais un peu l'impression d'avoir joué les pères Noël. Nous n'avions pas bu une seule goutte d'alcool, mais Kuma et moi, nous étions tous les deux surexcités. La motoneige filait à toute vitesse à travers les flocons dans la nuit.

Je faisais la cuisine, rien de plus, mais c'était assez pour faire entrer en transe chacune de mes cellules.

Pouvoir simplement cuisiner pour quelqu'un me rendait vraiment heureuse, du fond du cœur.

Merci, merci !

Le crier encore et encore vers le ciel par une nuit d'hiver ne me suffisait pas, j'aurais voulu crier si fort que la planète entière m'entende, crier jusqu'à ce que ma voix intérieure s'éraille, que tout le monde sache ce que je ressentais.

Nous avons arrêté la motoneige et, bras dessus bras dessous, nous avons contemplé le ciel de cette nuit de Noël.

La neige a cessé un bref instant, révélant une multitude de minuscules lueurs, comme des flammes vacillantes.

On aurait dit qu'un sort avait été jeté au ciel étoilé, et si Kuma l'avait souhaité, je lui aurais accordé un baiser. L'air glacial nous transperçait jusqu'à la moelle.

En fin d'année, j'ai fait le grand ménage, récurant la cuisine de fond en comble au bicarbonate de soude, et le dernier jour de l'année, j'ai enfin pu cuisiner, même si ce n'était que pour la forme, les plats traditionnels du jour de l'An.

Du vivant de ma grand-mère, tous les ans, nous préparions un magnifique festin.

Les plats traditionnels de l'*osechi*, disposés dans leurs boîtes superposées, formaient un tableau aux motifs géométriques. Chaque année, le résultat me fascinait. Nous dînions de nouilles de sarrasin en regardant l'émission musicale Kôhaku sur NHK et, à minuit, nous fêtions le nouvel an en buvant du *toso*; les premiers jours de l'année, nous les passions à grignoter les plats d'*osechi* en sirotant du saké. C'était le début de l'année, tel que je l'avais toujours passé avec ma grand-mère.

Après son décès, lorsque je vivais avec mon amoureux dans notre appartement, nous faisions une petite fête à l'indienne. En Inde, au jour de l'An, on s'habille obligatoirement de neuf. Moi, pour ce jour-là, je mettais la tenue punjabi portée par les jeunes filles avant leur mariage. J'enfilais une large tunique de magnifique soie fine et un pantalon bouffant, une longue écharpe enroulée autour de mon cou. Et je préparais un *gujia ghughra*, un gâteau frit aux noix de cajou, à la noix de coco et aux amandes.

Il était sans doute loin du goût de ceux qu'on trouve en Inde. Mais j'étais heureuse de pouvoir passer le jour de l'An avec mon amoureux.

Cet hiver-là, autour du jour de l'An, ma mère est allée à Hawaï avec des habitués du bar *Amour*, pour un séjour golf et shopping. La marieuse aussi était de la partie. J'ai donc passé le réveillon toute seule. Evidemment, Hermès était là. J'ai mis dans des boîtes en plastique mes plats d'*osechi* qui n'en avaient que le nom, et j'ai austèrement fêté la nouvelle année en tête-à-tête avec Hermès.

Bonne année !

C'est à elle que je m'adressais mais, bien entendu, elle ne m'a pas répondu.

Pour me changer les idées, je la brossais longuement et soigneusement, et je la laissais quelquefois s'ébrouer librement dans la neige. Le temps qui me restait, je le passais à nettoyer, avec une éponge réservée à cet effet, les traces de thé qui culottaient les tasses et auxquelles je ne prêtais plus attention, habituée à les voir.

Mes journées se sont déroulées ainsi, jusqu'à ce que *L'Escargot* entame réellement son hivernage.

A cause de la neige, les moyens de transport étaient réduits, et les clients de l'extérieur du village n'auraient pas pu venir, même s'ils l'avaient voulu. Le minibus qui jusque-là effectuait plusieurs allers et retours par jour se limitait désormais à un seul, quittant le village le matin pour revenir en fin d'après-midi.

Avec la neige, le site de saut à l'élastique était fermé et la clientèle du minibus pratiquement réduite à zéro. Pour venir à *L'Escargot* depuis une autre région, il fallait obligatoirement passer une nuit au village. Vers le quartier thermal, il y avait bien quelques auberges où descendre, mais c'étaient les moyens de transport jusque là-haut qui manquaient. A pied, le trajet dans la neige aurait bien pris deux heures.

De mon côté, j'étais toujours incapable de parler.

Lorsqu'un être vivant n'utilise pas une de ses fonctions, celle-ci régresse rapidement, je l'avais entendu dire.

Un jour, quand j'étais petite, alors que je mangeais un plat de nouilles instantanées au comptoir du bar *Amour*, un client ivre avait dit en riant : « Ben oui, les travelos, quand ils arrêtent d'utiliser leur zizi, il rétrécit à toute vitesse. » Je m'en souvenais, et j'avais l'impression que, de la même manière, ma voix s'était ratatinée, et que si jamais on l'attrapait avec des pincettes et qu'on tirait dessus, elle se détacherait facilement de mon corps, pour ne plus jamais y retrouver sa place.

Mais je trouvais que c'était peut-être aussi bien comme ça. J'avais un puissant allié, la cuisine. Au même titre que la faim, l'appétit sexuel ou le sommeil, la cuisine était l'un des piliers de mon existence. Et la parole était une fonction inutile pour cuisiner.

Avec ma mère, c'était toujours la guerre froide.

J'étais capable d'amour pour presque tous les humains et les êtres vivants. Il n'y avait qu'une seule personne que je n'arrivais pas à aimer sincèrement – ma mère. Mon antipathie pour elle était profonde et massive, presque autant que l'énergie qui me faisait aimer tout le reste. Voilà qui j'étais vraiment.

L'être humain ne peut pas avoir le cœur pur en permanence.

Chacun recèle en lui une eau boueuse, plus ou moins trouble selon les cas.

A mon humble avis, même une princesse dans un pays lointain pense parfois à des mots horribles dont elle ne peut s'ouvrir à personne, et le condamné à mort qui croupit dans une geôle recèle en lui l'éclat d'un trésor qui, même s'il est invisible sous l'œil grossissant d'un microscope, brillerait de mille feux à la lumière.

Donc, pour maintenir propre cette eau fangeuse, j'avais décidé, dans la mesure du possible, de la laisser reposer paisiblement.

Lorsqu'un poisson se débat, l'eau se trouble, mais si je gardais mon cœur serein, la boue finirait par se déposer au fond et l'eau propre affleurerait. Je souhaitais être cette eau propre.

Ma mésentente avec ma mère était précisément cette boue en moi, mais si je demeurais sereine, elle ne salirait pas tout mon cœur. Donc, je faisais en sorte d'éviter ma mère le plus possible. En un sens, je m'appliquais à ignorer sa présence. J'étais convaincue que c'était là le seul moyen de garder le cœur pur.

C'était un jour de janvier, une de ces journées méditatives.

Kuma, arrivé à l'improviste, m'a lancé :

— Rinco, ça te dirait d'aller au village des navets rouges ?

Ce jour-là, chose rare, le temps était au beau fixe depuis le matin.

Kuma, déjà en combinaison de ski pour se protéger du froid, se tenait devant moi, fin prêt. Il m'invitait à aller visiter les champs où étaient cultivés les navets que j'avais servis au couple gay à Noël.

Sa proposition de partir sur-le-champ me prenait un peu au dépourvu, mais l'occasion de rencontrer celui qui faisait pousser des navets si magnifiques ne se représenterait pas de sitôt, et comme je voulais le remercier de m'avoir fourni de tels trésors, j'ai décidé d'accompagner Kuma.

J'ai vite enfilé mon anorak rouge et un pantalon de ski bleu marine, mis mes bottes en caoutchouc de tous les jours, et nous sommes partis. Nous sommes allés le plus loin possible dans la camionnette de Kuma et après, raquettes aux pieds, nous avons marché longtemps dans la neige.

Notre objectif était un terrain en pente raide, sur le versant opposé des Mamelons. Bien entendu, il était en ce moment complètement recouvert de neige, mais les navets se conservaient, paraît-il, intacts sous leur manteau blanc.

— Je voulais te montrer la vue d'ici, un jour !

Kuma était tout essoufflé. Je ne savais pas ce qu'il y avait dans son sac à dos, mais il paraissait terriblement lourd.

Kuma ouvrait le chemin et je le suivais. Nous marchions dans un silence presque total. Gravant fermement l'empreinte de chacun de nos pas sur l'étendue poudreuse, nous progressions un pied après l'autre, et la neige crissait dans un couinement qui rappelait celui du lapin de garenne.

A perte de vue, un univers de neige et de glace. Il faisait très beau, des nuages voguaient lentement dans le ciel.

Nous traversions côte à côte une prairie en pente douce quand soudain Kuma s'est arrêté. Il s'est tourné vers moi et a lancé d'un ton brusque :

— Des perce-neige !

Dans la direction indiquée par son doigt ganté, j'ai vu, à l'extrémité d'une longue tige, une clochette blanche à la tête penchée. Et il ne s'agissait pas d'une fleur solitaire, mais de bouquets de perce-neige épanouis.

— Je voulais montrer ces fleurs à Siñorita, alors, il y a quelques années, j'en ai planté. Mais elles n'ont pas fleuri pendant qu'elle était là, elles s'y sont mises une fois qu'elle était partie... C'est joli, hein ?

Nous avons fait une petite pause devant les perce-neige. On aurait dit des fées soudain surgies de la neige. Même dans une plaine enneigée et glaciale, la vie éclôt, opiniâtre.

Sur la cime des arbres dénudés, des oiseaux se murmuraient des chants d'amour. Sentant la sueur couler dans mon dos, j'ai pris une profonde inspiration.

Nous sommes repartis, sur un chemin le long de la rivière. Une bourrasque de vent à l'odeur délicatement sucrée a balayé en douceur la plaine enneigée.

— On y est !

Lorsque Kuma m'a annoncé que nous étions arrivés, j'étais complètement réchauffée.

Nous sommes entrés dans une cabane construite à mi-pente ; à l'intérieur se trouvait un homme à peu près du même âge que Kuma. C'était lui qui cultivait les navets. A ses côtés, son épouse, une petite femme qui lui ressemblait énormément, on aurait dit des jumeaux. Ce couple avait sauvegardé des graines de navets rouges des temps anciens, transmises de génération en génération.

Je vous remercie du fond du cœur de m'avoir fourni ces merveilleux navets.

Tout de suite, j'ai sorti de mon panier mon carnet et un stylo pour écrire un message.

Mais le froid m'avait engourdi les doigts et j'avais peine à tenir mon stylo. Kuma a dû le deviner, car il s'est fait mon porte-parole, disant presque tout ce que je souhaitais exprimer.

Ce qu'il transportait dans son grand sac à dos, c'était un pique-nique pour tout le monde.

— Ben oui, tu me fais toujours à manger, alors… a-t-il dit en riant.

Il a ouvert les unes après les autres les boîtes en plastique qu'il avait apportées et les a disposées sur la table.

— C'est la cuisine de ma mère, je ne sais pas si ça vous plaira, mais goûtez-y pour voir.

Sous nos yeux, légumes bouillis, omelette *tamagoyaki*, bouchées de poulet frit, *onigiri* ou encore radis blanc en saumure s'alignaient en rangs serrés. Comme j'avais faim, j'ai tout de suite commencé à manger.

Le pique-nique préparé par la mère de Kuma différait de la cuisine raffinée de ma grand-mère, peu assaisonnée mais au bouillon goûteux, et aussi de celle de ma mère, qui faisait grand usage de condiments tout prêts. Taros, grande bardane et carottes mijotés à point fondaient dans la bouche. Elle préparait peut-être son bouillon uniquement à base de poisson, les petites sardines séchées étaient restées telles quelles dans le plat. Le *tamagoyaki* était bien cuit, avec un fort goût de sucre et de sauce de soja. Les *onigiri* étaient fourrés d'une copieuse portion d'œufs de colin d'Alaska grillés.

Plus on mastiquait chaque bouchée, plus les saveurs s'épanouissaient. Loin du raffinement du plateau-repas d'un restaurant de luxe, c'était une cuisine ancrée dans le terroir, qui permettait de renouer avec ses racines.

— Un repas comme ça, c'est réconfortant, a murmuré d'un air songeur l'épouse du cultivateur de navets rouges en mordant dans un énorme *onigiri*.

J'étais du même avis. Et puis, j'ai réalisé quelque chose.

Cela faisait une éternité que je n'avais pas mangé un repas préparé par quelqu'un d'autre.

Le riz était un peu trop cuit à mon goût, mais cela ne m'a pas empêché d'avaler autant d'*onigiri* que je pouvais. L'énergie jaillissait en moi, du fond de mon estomac. C'était parce que la mère de Kuma les avait préparés avec soin, en pensant à nous. J'avais l'impression de manger non pas des grains de riz, mais l'amour d'une mère.

Un souvenir m'est revenu. J'avais déjà eu ce sentiment, à une autre occasion.

Une forte sensation de déjà-vu s'est emparée de moi. En remontant le fil de mes souvenirs, j'ai soudain revu ma grand-mère. Elle était là, de dos, dans sa cuisine impeccable. Le pique-nique de la mère de Kuma et les plats de ma grand-mère étaient habités par la même âme. Subitement, en mastiquant les grains de riz que j'avais en bouche, j'ai failli fondre en larmes.

Une fois bue la tisane de plante caméléon que nous avait servie l'épouse du cultivateur, nous sommes sortis tous les quatre pour aller voir le champ de navets rouges. En déblayant la neige, on découvrait des quantités de navets. Entreposés sous la neige, ils devenaient plus doux, paraît-il.

— Tenez, goûtez !

Le cultivateur nous en a tendu un chacun, à Kuma et à moi. J'ai croqué dedans, il était vraiment juteux – il m'a presque giclé au visage –, d'une saveur rafraîchissante et, en effet, à la fois doux et piquant, l'équilibre était parfait. Autorisés à en manger autant que nous le voulions, nous ne nous sommes pas gênés, Kuma et moi. Alors que tous les navets avaient poussé dans le même champ, cultivés par la même personne, chacun avait un goût différent, comme j'ai pu le découvrir.

Sous un ciel radieux, entre les arbres couronnés de neige, on apercevait la mer. La ligne de démarcation entre le bleu de l'océan et le bleu du ciel, d'une nuance légèrement différente, s'étendait bien droite à perte de vue, comme tracée à la règle.

En redescendant, sur le chemin du retour, j'ai dû relâcher mon attention. Dans une pente un peu abrupte, j'ai glissé d'un coup. Le sol recouvert de neige était verglacé.

Je suis tombée sur les fesses.

— Ça va ?

Kuma, qui marchait devant, a immédiatement fait demi-tour. Décontenancée, j'ai tiré la langue en riant bêtement. En prenant appui sur son épaule, j'ai tenté de me relever. Mais, à l'instant où je me suis redressée, mes jambes ont refusé de me porter et je me suis de nouveau écroulée sur la neige. Je n'avais rien de cassé, mais apparemment je m'étais tordu quelque chose en tombant, ma cheville gauche semblait foulée. En serrant les dents et en progressant lentement, j'arriverais sûrement à marcher.

J'étais prête à réessayer, en faisant porter mon poids sur la jambe droite, lorsque Kuma m'a lancé :

— Rinco, tiens-moi ça !

Puis il a ôté son sac à dos. Comme nous avions mangé tout le pique-nique, il était plus léger. Eberluée, je ne comprenais pas ce qu'il voulait, mais il m'a présenté ses épaules et en me disant : « Allez, n'aie pas honte, accroche-toi ! », il m'a chargée sur son dos.

— Je suis encore capable de te porter sur mon dos, va ! a-t-il ajouté en regardant droit devant lui.

Toujours perplexe, je me suis plaquée contre son dos.

— Et hop !

Kuma s'est lentement relevé en s'encourageant de la voix, mon champ de vision a brusquement chaviré, et le paysage familier a pris de la hauteur.

Kuma s'est mis en marche en soufflant fort, en cadence.

Il avait déjà fait pareil ce jour-là. Lorsque je pleurais toute seule dans un couloir, à l'école. Il m'avait chargée sur son dos puissant et tiède, puis il m'avait emmenée dans la loge du gardien, qui nous était normalement interdite. Et il m'avait montré le loir profondément endormi dans une marmite.

Depuis, j'avais grandi, j'avais eu mes règles, j'étais partie en ville, j'avais eu un amoureux, j'avais vécu une rupture et j'étais devenue le chef cuisinier et la propriétaire de *L'Escargot*, il m'était arrivé un tas de choses, mais voilà que je me retrouvais une fois de plus sur le dos de Kuma. Il s'occupait de moi et m'aidait pour tout, mais moi, je ne faisais que lui causer des embêtements. J'y étais tellement habituée que je l'avais oublié, mais Kuma, il boitait. Et pourtant…

Dis-moi, pourquoi es-tu si gentil avec moi ?

Je lui ai posé la question en moi-même.

Et alors, à point nommé, il a lâché :

— Tu comprends, la patronne m'a tellement écouté…

La patronne, c'était ma mère.

— Quand Siñorita est partie, j'étais si malheureux… Je buvais trop, je passais ma mauvaise humeur sur la patronne, j'ai fait plein de trucs moches. Mais ta mère, elle m'a toujours écouté avec le sourire. Je lui en ai dit des grossièretés, mais elle m'a tout pardonné…

Puis il m'a appris quelque chose que j'ignorais.

— Et puis un jour, tu vois, elle m'a téléphoné, elle m'a dit : « Ma fille est revenue, je voudrais que vous l'aidiez. Là, je pense qu'elle est sur une branche du figuier, vous pourriez aller voir, s'il vous plaît ? » Alors j'y suis allé tout de suite, et tiens ! c'était exactement comme elle avait dit, j'en revenais pas ! Je ne pourrai jamais assez la remercier.

Ballottée sur le dos de Kuma, j'ai soudain eu une drôle d'impression, comme si on m'avait fourré une prune séchée dans la bouche. Je n'étais absolument pas au courant de tout ça. J'étais persuadée que mes retrouvailles avec Kuma, ce jour-là, relevaient du hasard. Ce n'était plus ma cheville foulée qui me lançait et me fourmillait, mais mon cœur.

Nous avons rejoint la camionnette cahin-caha et, sur le chemin du retour, Kuma a soudain proposé :

— Rinco, si tu prenais un bain aux sources chaudes, ta cheville guérirait peut-être plus vite. Je monterai la garde pour que personne n'entre, d'accord ? On y va ? J'regarderai pas, promis !

Il avait l'air très sérieux. C'est vrai que les sources chaudes d'ici sont réputées pour soulager les contusions et les foulures. Et puis j'avais froid.

J'ai tiré mon carnet du panier et j'y ai écrit un mot que j'ai montré à Kuma. A cause de mes doigts engourdis, les caractères étaient à peine appuyés, tout pâles.

Merci. Toi aussi, tu dois avoir froid, si tu te baignais aussi ?

Après avoir réussi tant bien que mal à déchiffrer mon écriture, Kuma a tourné à droite pour prendre la direction des bains publics. Le soleil commençait déjà à baisser. Avec un peu de chance, nous ne tomberions pas nez à nez avec les papys du village qui venaient papoter aux bains.

En un clin d'œil, le soleil a disparu derrière les montagnes. Seule la neige luisait d'un blanc bleuté.

Nous étions à la mi-février.

Ma mère m'a invitée à une fête.

Comme je rentrais à la maison après avoir mis à mariner du *kimchi* de chou chinois à *L'Escargot*, une note rédigée de sa belle écriture était coincée dans la porte donnant accès à la soue d'Hermès.

La fête se déroulerait au bar *Amour*.

C'était, paraît-il, le banquet de fugu annuel.

L'organisateur était Néocon. Les participants, sept ou huit personnes en comptant Néocon et ma mère, seraient principalement des habitués du bar. Plusieurs d'entre eux étaient partis à Hawaï avec elle à la fin de l'année. Néocon dirigeait une entreprise de construction, mais apparemment il détenait aussi une licence l'autorisant à préparer du fugu.

A vrai dire, jusqu'au jour J, j'ai hésité à me rendre à cette fête.

L'Escargot n'avait aucune réservation et j'avais envie de passer une soirée tranquille, à lire et tricoter. Et puis, ça ne me disait rien de voir ma mère flirter avec son amant.

Mais en fin de compte, j'ai décidé d'y aller. La raison était que moi aussi, j'avais envie de manger du fugu. Bien entendu, j'en avais déjà mangé une ou deux fois en sashimi. Mais les tranches étaient fines comme du papier et j'avais eu beau les mastiquer, je ne leur avais pas trouvé beaucoup de goût. Depuis quelque temps, on disait que de grands chefs à la renommée mondiale s'intéressaient au poisson-globe japonais. Moi aussi, même tardivement, je souhaitais découvrir l'attrait du fugu, cela titillait ma curiosité de professionnelle.

— Alors, comme ça, paraît que le Taj Mahal s'est fait la malle ?

Un peu après dix-sept heures, alertée par le tapage au-dehors, je suis sortie voir : Néocon bataillait pour attacher un cheval blanc rétif au tronc du palmier chanvre, en poussant des cris rauques. Il avait sans doute l'intention de boire tout son soûl ce soir. Quand il savait qu'il allait boire, il ne venait jamais avec sa Mercedes chérie, mais à cheval, et rien de moins qu'un cheval blanc.

Evidemment, ma mère avait dû lui rapporter mon histoire en me tournant en dérision. Alors que je commençais à oublier un peu, il remuait le couteau dans la plaie, ça m'a énervée.

Je suis retournée au bar *Amour* où, pour me calmer, j'ai émincé de la ciboule de Hakata, pendant que Néocon, entré sur mes talons, sortait un à un les condiments préparés chez lui et les alignait sur le comptoir. Le *torafugu* sauvage qu'il avait fait venir spécialement d'Oita pour l'occasion était imposant, sa chair visiblement bien ferme.

Néocon, l'air suffisant, a tiré d'un sac son couteau à fugu et s'est attelé à la préparation du sashimi. J'ai réparti dans des coupelles, une pour chaque invité, la sauce au citron maison qu'il avait apportée.

Enfin, les convives tous réunis, le banquet a commencé.

Tous étaient des gourmets qui attendaient ce jour avec impatience. Chacun avait apporté de l'alcool – saké, *shôchû*, bière ou vin – et les bouteilles étaient débouchées et vidées les unes après les autres.

Néocon, lui, avait apporté du champagne, du Cristal Rosé, s'il vous plaît. En vérité, ma mère en raffolait. J'en avais vu une bouteille un jour, à travers la vitrine d'un marchand de produits de luxe d'importation. Bien sûr, je n'en avais jamais bu, mais je savais qu'il était hors de prix. Les bouteilles de Cristal Rosé ont été mises à rafraîchir dehors, dans la neige.

Le sashimi de fugu, en tranches légèrement plus épaisses que dans un restaurant spécialisé, avait la beauté fragile des flocons de neige. Le fugu grillé – des morceaux avec les arêtes rapidement passés à la braise – aux saveurs concentrées par la cuisson, la chair bien ferme, était un vrai délice. Quant aux bouchées frites, saisies à cœur, leur texture était agréablement consistante.

Tous les convives ont dévoré les plats en silence, ils en oubliaient même de parler. Moi aussi, totalement concentrée sur mes papilles, j'ai mangé dans un état de félicité totale. Ça devait être ça, la béatitude. Vraiment, j'avais le sentiment d'avoir été invitée à un somptueux festin, dans un rêve débordant de bonheur.

Enfin, l'heure de la « roulette empoisonnée », que tous attendaient avec impatience, a sonné.

Malgré son nom, rien d'empoisonné, c'était juste une appellation donnée par jeu : le reste du sashimi était servi avec le foie, qui peut être toxique. En réalité, cette façon de déguster le fugu est interdite en dehors de la préfecture d'Oita. Mais les convives à ce banquet, en secret, le savouraient ainsi tous les ans. Jusqu'à présent, aucune mort n'était à déplorer.

Le rituel avait, semble-t-il, évolué ainsi : dans les premiers temps du banquet de fugu, la roulette empoisonnée était servie avec le premier plat de sashimi. Mais si jamais quelqu'un mangeait un morceau empoisonné et en mourait, il aurait le regret de ne pas avoir savouré le reste du menu – fugu grillé, bouchées frites et soupe de riz au fugu ; tous s'étaient donc mis d'accord pour que soient préparés deux plats de sashimi, le premier servi au début du repas et le deuxième à la fin, cette fois-ci avec le foie. Ainsi, même s'ils passaient de vie à trépas, ce serait sans regret. Une idée de gloutons, vraiment…

— Champagne ! a crié ma mère, complètement ivre, sous les applaudissements de l'assistance.

Néocon s'est levé, est sorti et a rapporté les fameuses bouteilles de Cristal Rosé, parfaitement rafraîchies par la neige, mais, allez savoir pourquoi, emballées dans du journal sportif, comme pour les dissimuler. En première page du vieux journal à moitié détrempé, un célèbre joueur de baseball souriait, une main levée.

Néocon s'est glissé derrière le comptoir du bar *Amour*, où ma mère et lui ont mis en train une nouvelle tournée pour trinquer. A table, les préparatifs pour la roulette empoisonnée étaient terminés. Tout le monde était passablement éméché.

Du coin de l'œil, je surveillais ma mère et Néocon derrière le comptoir. Depuis quelques minutes, leur comportement me semblait étrange, et pour cause : dans un petit coin à l'abri des regards, ils remplissaient les verres avec du champagne différent pour eux et pour les autres. Dans leurs coupes, du Cristal Rosé, et dans celles des autres, du Pommery rosé. J'avais encore été témoin d'une scène déplaisante. Brusquement dégrisée, je me suis sentie barbouillée.

D'un air innocent, ma mère a distribué les coupes de champagne à la ronde.

En regardant bien, la nuance de rose était légèrement différente, mais, déjà soûls, les autres n'y voyaient que du feu. Ou plutôt, pas un seul ne soupçonnait de telles manigances.

Ma mère, qui tendait gracieusement les coupes de champagne, s'est approchée de moi. Contrariée, j'ai pris le verre qu'elle me tendait. Et puis, en voyant la couleur, j'ai pensé, tiens ? Remarquant mon expression, elle s'est vivement tournée vers moi et m'a murmuré :

— T'en fais pas, bois-en toi aussi.

J'ai voulu lui rendre la coupe, mais elle s'était déjà installée à sa place. Alors Néocon, l'organisateur du banquet, a porté un toast d'adieu pour plaisanter :

— Rien de meilleur que du fugu pour partir en beauté. Merci pour tout, les amis !

Il a trinqué, puis il a déposé une copieuse portion de foie sur une tranche de sashimi et l'a avalée. Presque exactement à l'instant où j'espérais qu'il allait s'empoisonner, il a braillé : « Sain et sauf ! » Pff, quel dommage ! J'ai poussé un gros soupir. Et pour balayer cette pensée, pour la première fois de ma vie, j'ai trempé mes lèvres dans du Cristal Rosé.

Ma conscience me tiraillait, mais c'était une occasion unique. Pour être franche, ma curiosité a été la plus forte, et j'ai décidé de boire sans honte. En demandant intérieurement pardon aux autres, j'ai pris la première gorgée de ma vie de ce Cristal à l'élégante couleur rose.

Chaque gorgée faisait s'épanouir une prairie fleurie dans mon corps. Je ne m'imaginais pas encore très bien ce qu'était le paradis, mais si, à ses portes, on m'offrait ne serait-ce qu'une gorgée de ce champagne, j'y resterais sûrement pour l'éternité.

Le banquet continuait, interminable. Encore une marmite de fugu, puis une soupe au riz préparée avec le reste de bouillon, et la beuverie a repris ses droits.

Ça buvait, ça chantait, c'était une noce à tout casser. Certains s'essayaient au karaoké, d'autres dormaient, assis par terre. L'un discourait sur l'état du monde d'une voix pâteuse tandis qu'un autre regardait la météo à la télévision. Chacun savourait l'après-banquet à sa façon.

Seule derrière le comptoir du bar *Amour*, je remettais de l'ordre. J'étais incapable de laisser traîner de la vaisselle sale.

Ma mère, qui avait sifflé à elle seule plus de la moitié de la bouteille de Cristal Rosé, s'était effondrée sur l'épaule de Néocon. Côte à côte, ils étaient avachis sur leur chaise comme une glace à deux parfums à moitié fondue.

M'appliquant à ne pas les regarder se faire des papouilles, je me suis concentrée sur la vaisselle. Depuis que j'étais petite, j'étais quotidiennement témoin de ce genre de spectacle, mais l'âge n'y faisait rien, je n'arrivais pas à m'y habituer.

C'est alors que j'ai entendu les paroles mielleuses que Néocon soufflait au creux de l'oreille de ma mère, dans un murmure.

— Allez, Ruriko, dis-moi oui, rien qu'une fois. Dis donc, le fugu, il était bon, non ? Le Cristal Rosé aussi, il était bon, hein ? Mmm ?

D'une main, il lui pelotait les fesses.

— Nan !

Elle a répondu d'un ton enjôleur.

— Allez, quoi, ça s'use pas à l'usage. C'est pas parce que tu l'auras fait une fois dans ta vie que tu seras punie. Si tu meurs sans avoir connu mon corps, tu le regretteras, c'est moi qui te le dis !

Sur le coup, j'ai cru qu'ils jouaient à se donner la réplique, pour rire. Quand même, déjà dans mon enfance, il était de notoriété publique que Néocon était l'amant de ma mère, avec tout l'argent qu'il avait dépensé pour elle, c'était lui qui avait réussi à se hisser à la place d'amant en titre. Et ils n'auraient jamais consommé ? Je n'allais pas y croire si facilement.

Bouche bée, j'en avais oublié ma vaisselle, lorsque Néocon s'est adressé à moi.

— Hé !

Il m'a interpellée d'une voix dure en me dévisageant. Comme je faisais mine de l'ignorer, il a haussé le ton.

— T'es sa fille, alors dis-lui, toi. Dis-lui qu'elle peut bien me faire un petit plaisir au lit, rien qu'une fois !

Il m'avait énervée, alors je lui ai rendu son regard avec aplomb. Il a grossièrement claqué de la langue en faisant « pff ! », puis il a décoché une dernière flèche :

— Vraiment rien à en tirer, ni de l'une ni de l'autre, quelles têtes de mule ces deux-là ! Telle mère, telle fille, tiens. Tu peux pas écarter les cuisses, un point c'est tout ? C'est parce que t'es entêtée comme ça que ta fille a un sale caractère et qu'elle parle même pas !

Là-dessus, un des habitués du bar *Amour*, qui jusque-là s'égosillait à chanter *Le col d'Amagi*, a ajouté son grain de sel à la conversation. Il criait dans le micro en faisant vibrer sa voix.

— La patronne, elle a pas l'air comme ça, mais c'est une pure. Et alors, elle a le droit, non ? Ruriko, elle dit qu'elle veut rester vierge, eh bien, par les temps qui courent, c'est une espèce protégée. Quand tu penses que les filles d'aujourd'hui, elles font ça dès la première fois, avec un type qu'elles connaissaient même pas cinq minutes plus tôt.

L'homme dans son costume d'employé de bureau, comme enivré par ses propres paroles, est resté planté là, le micro à la main, même après la fin de la chanson.

Mais de quoi parlaient-ils, tous ?

Dans ma tête, il y avait un grand vide.

Ma mère, vierge ?

Alors, je n'étais pas sa fille ?

Ça faisait un bout de temps que je m'en doutais.

Elle et moi, nous avions si peu de points communs. Donc, en fait, comme je l'avais espéré, elle n'était peut-être pas ma vraie mère. En réalité, j'avais une maman douce et pleine de compassion quelque part sur cette planète, qui me cherchait aujourd'hui encore… Une lueur d'espoir a enflammé ma poitrine.

Mais ce doux rêve n'a duré que quelques secondes.

Ma mère a brusquement relevé la tête, son visage rose comme du Cristal Rosé sous l'effet de l'alcool, et m'a assené, en me regardant droit dans les yeux :

— Toi, tu as été conçue sans péché.

Elle était complètement ronde. Quand elle avait bu, elle devenait mythomane, ce n'était pas nouveau. C'est comme ça qu'elle avait réussi à embobiner un tas d'hommes.

J'étais toujours plantée derrière le comptoir, j'avais même oublié de fermer le robinet, lorsque l'habitué qui était intervenu tout à l'heure s'est de nouveau invité dans la conversation. Encore une fois, sa voix a retenti à plein volume.

— Ben ça alors, Rinco, t'étais pas au courant ?

Il écarquillait des yeux ahuris. C'est moi qui étais stupéfaite ; l'envie m'est montée de flanquer un grand coup de pied dans le comptoir.

Cependant ma mère, certes éméchée mais l'air grave, a repris la parole.

Néocon dormait déjà, en ronflant comme Hermès.

— Toi, tu vois, tu es un bébé-pistolet à eau !

Un bébé-pistolet à eau…

J'étais incapable de réfléchir, comme si une coulée de plâtre avait déferlé dans ma tête. Alors l'habitué du bar a marmonné, interloqué : « Pourtant, c'est une histoire célèbre ici, non ? », puis il s'est décidé à poser le micro, est venu s'asseoir en face de moi et m'a expliqué l'affaire en détail.

Tout, absolument tout ce qu'il a raconté était nouveau pour moi, je ne savais même pas par où commencer pour mettre ses paroles en doute. Voici, en résumé, ce qu'il m'a appris :

Quand elle était lycéenne, ma mère avait eu un amoureux d'un an son aîné. Ils s'aimaient, ils voulaient se marier. D'un commun accord, ils ont décidé de garder leur relation platonique jusqu'à ce que ma mère quitte le lycée, et ils s'y sont tenus. Son fiancé, brillant élève, a intégré la faculté de médecine d'une université du Kansai. Alors, pendant un temps, leur relation est devenue épistolaire. Pour le rejoindre, ma mère a étudié d'arrache-pied. Et elle a été brillamment admise à un institut universitaire de Kyôto. Mais quand elle s'est rendue à l'appartement dont son fiancé lui avait donné l'adresse, il n'y habitait plus. Ils ne se sont jamais revus.

A ce point du récit, je me suis fait la réflexion que c'était peut-être pour cela que j'appelais ma mère « m'man », à la façon du Kansai. Mais l'histoire n'était pas finie.

Ma mère s'était laissée aller au désespoir. Et puis, dans l'espoir d'oublier son fiancé, elle a décidé de tomber enceinte. Elle allait renoncer à lui et vivre sa propre vie. Comme elle n'avait jamais envisagé d'offrir sa virginité à quelqu'un d'autre que son fiancé, si ce n'était pas lui, n'importe qui ferait l'affaire. Mais, lorsqu'il s'est agi de passer à l'action, elle n'a pas réussi à s'affranchir de ses sentiments pour lui ; alors, elle a réfléchi à la possibilité de concevoir un enfant tout en restant vierge, et c'est là que l'idée d'utiliser un pistolet à eau a germé dans son esprit.

— Parce qu'à l'époque, les banques de sperme, ça n'existait pas encore, hein ?

Ma mère est intervenue, interrompant le fil du récit, et l'habitué qui relatait les faits avec grand sérieux lui a répondu, toujours aussi sérieusement :

— Même maintenant, au Japon, ce n'est pas autorisé, les banques de sperme.

Ma mère avait choisi son partenaire au hasard, une rencontre d'un soir. Elle a rempli un pistolet à eau du sperme de cet homme, l'a introduit dans son vagin et pschitt ! le tour était joué. L'habitué m'a expliqué l'affaire, gestes à l'appui.

— Il portait une alliance à l'annulaire de la main gauche, sans doute qu'il était marié. Alors je me suis dit, eh bien, cette enfant est le fruit d'un adultère, et du coup, je t'ai appelée Rinco, pas vrai ? C'est bien ça, hein ?

Ma mère, ivre morte, a soudain sollicité l'avis de l'homme d'un certain âge qui regardait la météo à la télévision, comme fasciné.

— Ruriko, c'est quelqu'un d'entier. Elle n'a jamais cessé d'aimer son premier amour.

Il a répondu sans quitter l'écran des yeux. On était en hiver, mais une tempête de l'envergure d'un typhon semblait approcher. Ma mère s'est subitement levée et a déclaré, un bras tendu en l'air comme la statue de la Liberté de New York :

— Eh bien oui, moi, je resterai vierge toute ma vie !

Puis elle s'est effondrée sur le comptoir et s'est endormie aussi sec, en ronflant.

Dans ma tête, une multitude de boomerangs volaient en tous sens. Si tout cela était exact, c'était terrible. Je n'avais jamais entendu dire qu'on pouvait tomber enceinte en remplissant de sperme un pistolet à eau, mais si c'était vraiment vrai, alors j'étais sans conteste le premier bébé-pistolet à eau du monde.

Ma mère, la face contre le comptoir, n'arrêtait pas de marmonner dans son sommeil.

Un profond silence a soudain enveloppé le bar *Amour*.

Il y avait bien longtemps que l'heure était passée pour Papy hibou d'annoncer minuit, certains convives avaient payé leur écot avant de repartir tandis que d'autres, allongés par terre, étaient profondément endormis. En faisant attention à ne pas réveiller ceux qui dormaient, j'ai continué à ranger en silence.

J'ai toujours cru tout ce qu'on me racontait, je suis d'un caractère naïf. Du coup, j'avais des doutes, je me demandais s'ils ne s'étaient pas ligués pour me faire gober cette histoire.

Mais d'un autre côté, j'avais l'intuition que non.

Au fond, tous ceux qui étaient là ce soir étaient des gens raisonnables et sensibles, je le savais quelque part au plus profond de moi.

Ce soir, j'avais découvert une autre Ruriko, qui évoluait dans un monde qui m'était inconnu. Et cette Ruriko-là, par rapport à la mère que je connaissais, exhalait un parfum un peu plus doux.

Mais la sérénité du bar *Amour* n'a pas duré longtemps.

Rêveuse, je repensais à l'histoire d'amour de ma mère que je venais de découvrir, lorsque tout à coup Néocon s'est péniblement redressé en disant « Faut que je pisse un coup », a ouvert la porte du bar et est sorti.

Il y avait pourtant des toilettes à l'intérieur, quel besoin avait-il d'aller dehors ?

Non mais franchement, aller vider sa vessie dans un jardin qui n'était même pas à lui !

J'étais encore contrariée quand il est revenu en tirant énergiquement sur la fermeture éclair de son pantalon qui s'était coincée, les épaules rentrées à cause du froid. Il s'est tourné vers moi et m'a lancé sèchement :

— Dis donc, t'as jeté les fleurs que je t'ai offertes pour l'ouverture de ton resto ?

Zut ! Le jour de l'ouverture de *L'Escargot*, Néocon m'avait envoyé une énorme couronne de fleurs, mais elle était de si mauvais goût, du genre de celles qu'on voit devant les pachinkos, que je l'avais remisée derrière le bar *Amour*, où elle était restée. Elle était tellement grosse que ça m'avait même découragée de la jeter, je l'avais complètement oubliée.

— Je me fends d'une gentillesse et toi, tu gâches tout !

Son ton était dur. Puis il a ajouté :

— J'ai faim, prépare-moi quelque chose.

Il rêvait, oui.

Je suis quelqu'un d'entier et je ne peux cuisiner que pour les gens que j'aime bien.

Comme je faisais semblant de ne pas avoir entendu, Néocon m'a soufflé exprès la fumée de sa cigarette dans le nez et, avec des manières de voyou, il a ajouté sur un ton encore plus mauvais :

— Ah, je vois, tu cuisines pas pour les types que t'aimes pas. Non mais, pour qui tu te prends ? Et ça prétend être le chef du *Limaçon* ? Laisse-moi rire, oui ! Quelqu'un qui choisit ses clients, j'appelle pas ça un pro, moi. T'es qu'une fifille qui joue à la dînette, une petite branleuse qui se la joue. Allez, tu vas te secouer ou quoi, je te dis que j'ai la dalle, alors tu me prépares quelque chose et fissa !

Mon restaurant, ce n'est pas *Le Limaçon*, mais *L'Escargot*.

Voilà ce que j'aurais aimé lui rétorquer. Et puis, j'en avais vu de toutes les couleurs dans ma vie. Qu'est-ce qui lui permettait de me traiter de petite branleuse ? Quant à mon attachement pour la cuisine, il valait bien celui des autres chefs, même les plus célèbres. Il m'avait grossièrement insultée, si j'avais eu un couteau de cuisine sous la main, je lui aurais volontiers répondu avec. Ses insultes ne me touchaient pas seulement moi, elles salissaient aussi les divinités de la cuisine qui me protégeaient.

Au lieu de lui crier ses quatre vérités, j'ai ouvert d'un geste brusque la porte du réfrigérateur du bar *Amour*. Mais hélas, à l'intérieur, il n'y avait qu'un peu de miso au bouillon bourré d'exhausteurs de goût, et pour ainsi dire pas la moindre denrée utilisable.

Dans la cuisine de *L'Escargot* aussi, en cette période d'hivernage, je ne stockais que le strict nécessaire. Mais il n'était pas question de reculer devant Néocon. Avec sang-froid, je suis partie à grands pas vers le restaurant. Je ne me faisais pas vraiment d'illusions sur le contenu du réfrigérateur, mais je n'avais pas le choix, sous peine de perdre la face.

A *L'Escargot*, j'ai déverrouillé la porte et inspecté tous les placards qui me tombaient sous la main. Mais comme je m'y attendais, il ne restait rien d'utilisable. Même ma fidèle jarre de saumure, par malchance, était vide. Le *kimchi* de chou chinois mis à mariner quelques jours plus tôt, il était encore trop tôt pour le manger. Et en pleine nuit, le supermarché Yorozuya était fermé. Au village, il n'y avait évidemment pas de supérette ouverte vingt-quatre heures sur vingt-quatre.

J'étais coincée. Comme, résolue à présenter mes excuses à Néocon, j'ouvrais le tiroir où je range mes stylos, soudain, j'ai entraperçu au fond quelque chose de marron, fourré là n'importe comment.

Qu'est-ce que ça pouvait bien être ? J'ai pris la chose, c'était du *katsuobushi*, un morceau de bonite séchée passablement racorni, que j'avais longtemps cherché.

Je l'avais rangé dans le tiroir du dessus mais, par accident, il avait dû tomber dans celui du dessous. A cet instant, une idée m'a traversé l'esprit, crépitant comme un éclair.

Dans l'autocuiseur à riz du bar, il devait rester du riz blanc qui n'avait pas été utilisé pour la soupe de riz, un peu plus tôt. Avec ce morceau de *katsuobushi*, je pourrais faire un excellent bouillon. Du bouillon et du riz : j'allais préparer un *ochazuke* tout simple. Je me suis mise à découper avec énergie la bonite séchée en copeaux. En cherchant bien, j'ai même eu la chance de retrouver des algues *kombu* dans un tiroir.

Tenant des deux mains un saladier contenant les copeaux de bonite et les morceaux d'algue, je suis retournée au pas de course au bar *Amour*, où j'ai rempli d'eau une casserole. Néocon, le visage rougi par l'alcool, observait le moindre de mes mouvements.

D'une voix rauque, il a éructé :

— Ecoute-moi bien, ma petite demoiselle. Moi, j'ai fait le tour de presque tous les meilleurs restaurants du monde. Tu parles à l'homme qui est allé exprès en Tanzanie pour manger du ragoût d'hippopotame. Alors, prépare-toi. Si c'est dégueulasse, je te le dirai tout net. Faudra pas venir pleurer, parce que ce sera la vérité.

A vrai dire, j'avais les genoux qui s'entrechoquaient tellement j'avais peur. Mais j'ai fait mine de ne l'écouter que d'une oreille et je me suis concentrée sur mon bouillon.

L'histoire du ragoût d'hippopotame, je l'avais entendue tant de fois depuis que j'étais petite que je la connaissais par cœur. C'était un mets de choix, comme du bœuf mais en plus gélatineux, il s'en vantait à chacune de nos rencontres.

Avant tout, je devais faire le vide en moi. Cuisiner pour Néocon que je haïssais cordialement me faisait mal au cœur, mais je ne devais pas y penser. Sinon ce sentiment, la haine, se refléterait obligatoirement dans les saveurs. Bref, j'ai fait le vide, dans mon cœur comme dans ma tête.

Si tu cuisines en étant triste ou énervée, le goût ou la présentation en pâtissent forcément. Quand tu prépares à manger, pense toujours à quelque chose d'agréable, il faut cuisiner dans la joie et la sérénité.

Ma grand-mère me le disait souvent.

Une nouvelle fois, j'ai pris une profonde inspiration, et je me suis calmée.

J'ai enlevé les algues de la casserole au bon moment et, après une brève pause, j'y ai versé une généreuse portion de copeaux de bonite fraîchement râpée. Dès que la bonite a commencé à sentir bon, j'ai éteint le gaz et filtré le liquide à la passoire. Jusque-là, tout allait bien, comme d'habitude. Un peu de sel pour finir et ce serait parfait.

J'en étais là lorsque j'ai réalisé que j'avais le palais brouillé. J'avais beaucoup mangé, et pas mal bu aussi, j'étais un peu grise, c'était peut-être pour ça. Normalement, je savais du premier coup si c'était suffisamment salé, mais là, j'étais incapable de déterminer le meilleur équilibre. J'avais beau ajouter du sel encore et encore, il me semblait que cela n'avait aucun effet, mais en même temps, j'avais l'impression que c'était déjà trop salé. J'étais comme perdue dans une montagne enveloppée d'un épais brouillard, où je cherchais mon chemin à l'aveuglette.

Juste devant moi, Néocon attendait, battant nerveusement du pied. Je ne pouvais pas me permettre de tergiverser davantage. Faisant confiance à mon palais, j'ai ajouté une dernière pincée de sel, c'est tout. Puis j'ai rempli un grand bol, réchauffé au préalable, avec du riz pris dans l'autocuiseur, et j'ai versé par-dessus le bouillon que je venais juste de préparer. C'était prêt. Comme il restait quelques brins de ciboule de Hakata sur la planche à découper, je les ai rassemblés et posés sur l'*ochazuke*.

Des deux mains, j'ai déposé le bol devant Néocon, avec une paire de baguettes en bois. Je l'ai regardé dans les yeux, avec « voilà » marqué en gros sur mon visage. Je devais être ivre, je me sentais plus audacieuse que d'habitude.

Cependant, si, à *L'Escargot*, je pouvais faire mine de me retirer dans la cuisine et épier mon hôte avec mon miroir à main, ici, il n'en allait pas de même. Sans nulle part où me réfugier, j'étais obligée de rester plantée derrière le comptoir.

A moins d'un mètre de moi, Néocon a plongé ses baguettes dans le bol de riz au bouillon. J'étais nerveuse, mais je ne pouvais qu'attendre le verdict, les yeux fermés. Mon unique certitude, c'était que ça sentait bon le bouillon japonais.

Le seul bruit qui s'élevait dans le bar *Amour* était celui de Néocon en train d'engloutir son bol d'*ochazuke*. J'avais l'impression de vivre, en concentré, tous les instants de fébrilité par lesquels passe un être humain au cours de son existence. Enfin, les bruits de mastication de Néocon se sont éteints, le claquement des baguettes posées sur le bol a retenti.

Ma poitrine vibrait sous l'effet d'une agitation extrême.

Mais ce qu'ont découvert mes yeux lentement ouverts, c'était un bol parfaitement vide, aussi propre que s'il avait été rincé à l'eau chaude.

— C'était bon. Merci.

J'ai timidement tourné le regard vers le visage de Néocon ; je ne sais pas pourquoi, ses yeux rougis étaient remplis de larmes.

Il faisait parfois des blagues éculées ou des commentaires racistes que personne ne trouvait drôles, mais des compliments, jamais.

Une multitude de sentiments confus m'ont prise à la gorge. Je me suis précipitée aux toilettes. Pas question de pleurer devant lui.

Mais quand je suis ressortie des toilettes après m'être tamponné les yeux sur le coin de mon tablier et tant bien que mal calmée, il avait déjà disparu. Sous son bol, en plus du billet de dix mille yens en règlement du banquet, il y avait un autre billet de dix mille yens. Visiblement, il ne l'avait pas laissé par erreur. Parce que les deux billets étaient décalés, disposés en éventail.

Dehors, sur le chemin enneigé aux reflets bleu pâle sous le clair de lune, les petites traces laissées par les sabots d'un cheval se dessinaient à intervalles réguliers. Ma mère, restée seule à l'intérieur, a toussé. J'ai délicatement posé son manteau de fourrure sur ses épaules.

L'odeur de son parfum a flotté dans l'air.

Cette odeur que j'avais toujours détestée, aujourd'hui, elle me paraissait un tout petit peu moins déplaisante. Le profil de ma mère profondément endormie m'a paru un peu amaigri, c'était peut-être une idée, mais je lui ai trouvé mauvaise mine.

La journée avait été riche en événements de toutes sortes.

— Merci, a murmuré ma mère d'une voix ensommeillée, comme si elle parlait en dormant, juste au moment où je m'apprêtais à quitter le bar *Amour*.

J'ignorais à qui elle s'adressait, mais sa voix est venue se déposer sur mes épaules, comme un voile doux et léger.

Le deuxième *merci* de la nuit.

On aurait vraiment dit que l'hiver était de retour. Dehors, la neige tombait en rafales. Le vent était déchaîné, telle une sorcière prise d'un accès de jalousie. Le visage me brûlait comme si on m'avait étalé du piment en poudre sur la peau.

Portée par les bourrasques, mon haleine flottait dans le vent comme pour poursuivre Néocon à toute vitesse, entraînée vers le lointain.

Si la glace continuait à fondre peu à peu, le printemps verrait peut-être éclore de jolies fleurs. Epanouies, elles embaumeraient l'atmosphère et tout le monde aurait le sourire. Ces jours-là n'étaient peut-être pas si loin qu'il y paraissait.

Voilà comment je me représentais mes relations avec ma mère et Néocon.

Mais la réalité, comme une guillotine, vient toujours abattre sa lame froide sur mon cou. Sans pitié, elle cisaille tout net le fil de l'espérance.

Ce jour-là, je n'avais pas eu tellement le moral de toute la journée.

D'abord, dès mon premier travail du matin, j'avais fait brûler le pain destiné à Hermès, et ensuite, en chemin vers *L'Escargot*, j'avais écrasé par erreur un couple de papillons en train d'hiberner sous la neige.

Dans un cas comme dans l'autre, je ne l'avais pas fait exprès, mais la journée avait commencé par un chapelet de soupirs accablés.

Et puis l'après-midi, en préparant le turbot à l'*acqua pazza* commandé par mes convives du soir, j'avais été incapable de vider correctement le poisson. Alors que d'habitude, lorsque je tirais sur les entrailles en glissant l'index dans le poisson par les ouïes, elles venaient d'un seul bloc telle une broche décorative, ce jour-là, comme par un fait exprès, elles s'étaient déchiquetées en petits morceaux. En plus, j'avais fait tomber la précieuse bouteille d'huile d'olive extra-vierge que j'avais spécialement fait venir d'Italie, elle s'était fracassée par terre et je m'étais coupé le bout du doigt en ramassant les éclats de verre, bref, j'avais l'impression que même les divinités de la cuisine, mon dernier rempart, m'avaient laissée tomber.

Le comble, ça a été l'aveu que m'a fait ma mère.

Un peu après vingt-trois heures, de retour de *L'Escargot*, j'étais dans mon bain lorsque tout à coup la porte de la salle d'eau s'est ouverte sans prévenir et ma mère est entrée, toute nue. Sous le choc, je suis restée pétrifiée. Le soir, ma mère travaillait au bar *Amour*, elle n'était jamais à la maison, et même quand j'étais petite, je n'avais pas tellement souvenir d'avoir pris mon bain avec elle.

Interloquée, comme une adolescente que son père aurait surprise dans son bain, j'ai vite ramené mes jambes devant moi et caché ma poitrine de mes deux mains.

Sans se soucier le moins du monde de ma réaction, ma mère a engagé la conversation :

— Il faut que je te parle. Tu me fais de la place ?

Puis elle a rempli la bassine d'eau chaude, s'est rincée une fois et est entrée de force dans la baignoire. L'eau a débordé d'un coup, dans un grand bruit.

Quand j'ai fait mine de sortir en vitesse de la baignoire, elle m'a fermement retenue par l'épaule, comme pour dire stop.

— En fait…

Elle n'était pas ivre, mais elle a commencé à parler d'un ton animé, comme quand elle a bu.

— J'ai revu Shû, du lycée. On s'est retrouvés par hasard.

Les mains jointes, elle a puisé de l'eau dans la baignoire et s'est aspergé le visage.

Shû ? Du lycée ?

Normalement, j'ai toujours mon carnet sur moi, mais je ne l'apporte tout de même pas jusque dans la salle d'eau.

— Tu en as entendu parler au banquet de fugu. Tu sais bien, mon premier amour, celui avec qui je devais me marier, m'a-t-elle expliqué, la voix rêveuse.

Ça alors, sa voix, et même sa façon de s'exprimer, différaient de d'habitude.

Horrifiée, je me suis surprise à scruter son profil. Avait-elle fini par perdre la raison ? Mais, comme une actrice sur scène, elle a repris, en regardant toujours droit devant elle :

— Il n'a pas du tout changé. Evidemment, vu que notre dernière rencontre remonte à plus de trente ans, nous avons vieilli tous les deux, mais dans le fond, il n'a absolument pas changé.

Je lui ai jeté un coup d'œil, son cou était légèrement teinté de rouge, comme une pêche trop mûre.

Cette histoire était tellement inattendue, tout s'embrouillait dans ma tête. J'avais déjà passé un long moment dans l'eau à réfléchir à plein de choses, mes doigts étaient tout fripés.

Pensant qu'elle avait fini, j'ai enjambé le rebord de la baignoire, prête à sortir.

Du reste, je pouvais très bien écouter son histoire après le bain. C'est à cet instant que la lame de la guillotine s'est abattue sur moi.

Après le bain, je me suis retrouvée dans la cuisine, accroupie devant le réfrigérateur, avec juste une serviette autour du corps.

Mon esprit décortiquait, ressassait la révélation que venait de me faire ma mère. Malgré tout, je n'y comprenais toujours rien. Elle avait un cancer, il ne lui restait que quelques mois à vivre, son oncologue était un dénommé Shû, son premier amour, elle trouvait que c'était « une de ces chances, un vrai bonheur ! » et, davantage que sa mort probable dans un avenir proche, la joie d'avoir retrouvé son premier amour l'occupait tout entière. Cela me dépassait complètement.

Son histoire d'amour était encore plus étonnante que celle des mélodrames de l'après-midi à la télévision.

Qu'une telle romance soit encore possible au XXIe siècle était incroyable.

Pour moi, ma mère était forte, déterminée, méchante, celle avec qui je me disputais toujours. Je ne l'avais jamais vue pleurer, pas une seule fois, et je la croyais même immortelle. Ma mère, c'était un sac de sable increvable dans lequel je pouvais taper autant que je voulais. Que cette forte tête qui ferait reculer même les monstres soit vaincue par la maladie, et en plus par cette banale maladie en deux pauvres petites syllabes, je voulais croire que c'était une blague. Ma mère, entre toutes, était irréductible, j'en étais certaine.

J'ai doucement ouvert la porte du réfrigérateur. Peu à peu, la lumière jaune citron m'a piqué les yeux, comme un collyre.

Le pot de marmelade entamé me rappelait quelque chose ; en effet, c'était le même que dix ans plus tôt, quand j'avais quitté la maison. Je l'ai regardé de plus près, des moisissures comme de la neige avaient poussé sur la confiture. J'ai soulevé le couvercle du paquet de margarine, comme de bien entendu, lui aussi était rempli de moisissures vertes, pareilles à de la mousse. Le cadavre d'une blatte était coincé entre des tubes de ketchup et de mayonnaise entamés. Tout ça, c'était des traces de l'existence de ma mère.

Sa mort signifiait-elle donc que toute empreinte d'elle, y compris celles-ci, disparaîtrait promptement de la surface de la Terre ?

C'était impossible.

En poussant ce hurlement dans mon cœur, j'ai claqué la porte du réfrigérateur de toutes mes forces.

J'entendais ma mère fredonner dans la salle de bains.

Durant la nuit, incapable de fermer l'œil, j'ai passé une doudoune par-dessus mon pyjama et je suis sortie.

Dans le ciel noir et glacé, une myriade d'étoiles.

Je cherchais quelqu'un à qui me raccrocher, mais je n'avais personne, alors, je suis allée voir Hermès. La nuit pesait lourd, collait à ma peau comme une holothurie visqueuse.

J'avais l'impression de m'enfoncer peu à peu, en commençant par le bout des doigts, dans une gelée de haricots rouges poisseuse.

Sur le point d'étouffer, je me suis précipitée vers Hermès. Je n'arrivais pas encore à croire ce que m'avait raconté ma mère. Je voulais qu'elle me dise que c'était une de ses mauvaises blagues.

Tu es vraiment trop bête !

Cette petite phrase, entendue un nombre incalculable de fois, j'espérais qu'elle me la redirait, cette fois-ci.

Hermès avait les yeux entrouverts. Elle non plus ne trouvait pas le sommeil, semblait-il. Peut-être savait-elle déjà ?

Je me suis approchée et, comme un bon chien de garde, elle est venue vers moi. Ses petits yeux rivés sur moi, elle a penché la tête. Au clair de lune, Hermès était beaucoup plus mignonne que d'habitude, à la lumière du jour. Submergée par l'émotion, j'ai entouré de mes bras son dos imposant.

Son corps était tiède, on ne pouvait pas vraiment dire qu'il sentait bon, même en faisant un effort, mais pour mon nez habitué à cette odeur, c'était le parfum entêtant de la prairie.

Hermès, son groin collé à mon oreille, respirait bruyamment. Incapable de résister au chatouillis, j'ai failli éclater de rire.

Dans la vie, nous sommes impuissants face à certaines réalités, je le sais bien. Très peu de choses dépendent de notre volonté, dans la plupart des cas, les événements nous entraînent comme le courant d'un fleuve, ils s'enchaînent sans rapport avec notre volonté sur l'immense paume de la main d'une instance supérieure.

La vie, c'est beaucoup plus de chagrins que de joies, et c'était particulièrement vrai dans mon cas, mais j'avais quand même vécu en m'appliquant à saisir au vol de petits bonheurs. Alors pourquoi… ?

Plus j'y pensais, plus j'étais amère, alors j'ai plaqué mon visage contre le dos rêche d'Hermès, en me mordant les lèvres presque jusqu'au sang, impuissante.

Le lendemain matin, pour la première fois depuis mon retour à la maison, Hermès a eu la colique. Sa queue normalement bien dressée en tire-bouchon pendait mollement, comme une ficelle. J'ai vite cherché dans son carnet de croissance, il y avait une note, de l'écriture soignée de ma mère : *En cas de colique, deux à trois cuillerées à soupe de poudre de charbon mélangées à une quantité équivalente de nourriture.*

J'ai immédiatement appliqué cette recette.

Hermès aussi, je crois, avait dû sentir qu'il se passait quelque chose.

Tous les soirs, dans mon lit ou à côté d'Hermès, je passais la nuit les yeux grands ouverts. J'étais physiquement épuisée, mais dès que les pensées se mettaient à tourner dans ma tête, le sommeil m'échappait.

Et je sentais que bientôt, l'apathie m'envahirait.

Je n'avais plus envie de rien faire.

Cette pensée me venait souvent à l'esprit. Je veillerais sur ma mère qui irait en s'affaiblissant, je passerais le plus de temps possible avec elle, je me le jurais plusieurs fois par jour.

Mais finalement, *L'Escargot* est resté ouvert comme d'habitude.

Je sentais que si j'arrêtais maintenant, je ne m'en remettrais jamais. Et puis, voir des visages heureux était ma seule consolation.

Il arrivait plein de choses positives, aussi. Avec l'approche du printemps, Kuma recevait chaque jour sur son téléphone portable plusieurs demandes d'information ou de réservation.

Momo, la lycéenne qui, l'année précédente, avait économisé en faisant des petits boulots pour venir à *L'Escargot* déclarer sa flamme au garçon qu'elle aimait, est revenue avec lui « parce que c'était bon », l'agriculteur et la prof, le premier couple de jeunes mariés de *L'Escargot*, sont venus me montrer les photos de leurs noces, la Favorite a amené son petit ami plus jeune qu'elle, et la petite Kozue est venue dîner avec sa mère et son lapin pendant que son père était en déplacement.

Au début, à l'époque de la rumeur fantaisiste selon laquelle « en mangeant à *L'Escargot*, on voyait ses vœux réalisés et ses amours comblées », pour tout dire, pas mal de clients étaient venus par curiosité, mais depuis quelque temps, lorsqu'après avoir goûté à ma cuisine ils disaient qu'ils reviendraient, c'étaient réellement les saveurs qui leur plaisaient, et ils venaient ici comme dans un restaurant normal. Un chef cuisinier ne pouvait espérer mieux, c'était un véritable honneur.

Et puis, les saisons n'attendent pas une seconde.

Si on ne récoltait pas maintenant les jeunes pousses de pétasite du Japon, il faudrait attendre un an pour pouvoir en manger, et les asperges sauvages qui commençaient à poindre étaient meilleures crues, quand on venait de les cueillir. Pétasite, *mitsuba*, aralie, pousses de prêle des champs, armoise, pissenlit, pousses d'angélique du Japon, crosses de grande fougère... Ici, dans ces terres encadrées par les montagnes, nous ployons au printemps sous les bienfaits de la nature.

Par chance, l'état de santé de ma mère ne se dégradait pas trop, et elle, de son côté, fidèle à elle-même, continuait à jouer son rôle de patronne du bar *Amour*, debout derrière le comptoir dans ses vêtements voyants et son maquillage trop appuyé. Elle n'avait parlé de sa maladie à personne et, en public, elle ne laissait pas un seul instant deviner la douleur. C'était une vraie professionnelle, bien plus que moi.

Quelques jours s'étaient écoulés depuis ses aveux.

Sans plus attendre, elle est venue à *L'Escargot* avec son premier amour et aujourd'hui fiancé. Il s'appelait Shûichi.

Shûichi avait tout du médecin d'élite, grand, svelte, une allure de citadin, mais en même temps quelque chose de l'aura du moine. Il suffisait d'un coup d'œil, comme avec Néocon mais à l'opposé, pour comprendre que ce n'était pas mon père. Sa beauté était telle qu'aujourd'hui encore, elle tournait la tête à ma mère ; cette sensibilité à la beauté physique était peut-être un point commun entre nous deux.

Je leur ai servi du thé vietnamien aux feuilles de lotus. J'ai versé l'eau chaude avec amour, en priant pour que, malgré la situation, éclose une aussi belle fleur que celle du lotus qui émerge de la boue. Des deux tasses posées côte à côte s'élevait un fumet discrètement sucré.

Shûichi avait longtemps vécu à l'étranger, paraît-il. Il était tellement différent de ma mère que je me suis même demandé un instant si elle n'était pas en train de se faire avoir, si tout cela n'était pas en réalité une escroquerie au mariage pour s'approprier le patrimoine d'une femme d'âge mûr, esseulée et qui n'avait plus longtemps à vivre.

Mais Shûichi était parfaitement sérieux ; il m'a dépeint avec passion son amour pour ma mère et raconté les débuts de leur romance. C'était quelqu'un de foncièrement honnête. Et, comme ma mère, il était resté célibataire.

Après leur séparation, Shûichi avait, semble-t-il, fréquenté un certain nombre de femmes. Mais il n'avait jamais pu se résoudre à se marier. Parce qu'il n'arrivait pas à oublier ma mère, disait-il. Au moins, comme il avouait avoir eu des aventures, pouvait-on penser qu'il n'était pas resté vierge comme elle. A leur âge, c'était sans doute sans importance.

Quand il a eu fini de parler, Shûichi s'est redressé et, droit comme un I, ses yeux plantés dans les miens, il m'a dit, en articulant nettement :

— Permettez-moi d'épouser ma petite Ruri, non, plutôt, permettez-moi d'épouser Ruriko, je vous en prie. Je vous promets de rendre votre mère heureuse !

Ensuite, quelle idée ! il s'est soudain agenouillé dans la salle de *L'Escargot* et s'est profondément incliné, front contre terre.

Je l'ai vite arrêté et lui ai fait relever le visage.

Il était au bord des larmes. Ma mère aussi avait visiblement les yeux humides.

J'étais bien embêtée.

Admettre la réalité, la maladie qui rongeait ma mère, m'occupait tout entière, je n'étais pas en état de penser à autre chose. Et puis, je ne voyais aucune raison de m'opposer, dans sa situation, à ce qu'elle se marie.

J'ai vite sorti un carnet d'un tiroir et, en très gros, j'ai écrit, le plus proprement possible :

C'est moi qui vous en prie.

A cet instant, à moi aussi les larmes me sont montées aux yeux, allez comprendre.

Etait-ce donc cela que ressentait un père qui donnait sa fille à marier ?

Tous les trois, nous avons retenu nos pleurs, de toutes nos forces.

Après, tout est allé très vite ; ma mère, future jeune mariée, a rondement mené les préparatifs.

Sur la table du salon, dessins de robe de mariée et catalogues de produits de luxe à offrir aux invités formaient en permanence de hautes piles. Ma mère avait manifestement l'air heureuse.

Shûichi, très pris par son travail à l'hôpital, venait lui rendre visite dès qu'il le pouvait.

Il lui apportait de la médecine chinoise pour soulager ses douleurs, lui faisait des massages, l'écoutait se plaindre et, quand j'étais occupée, il investissait même la cuisine de la maison et mettait du riz complet à cuire. Parfois, il prenait un siège au comptoir du bar *Amour* et buvait de l'alcool de patate douce coupé à l'eau chaude en faisant griller des petites sardines séchées qu'il offrait aux clients.

Durant ces jours-là, lorsque je finissais tôt mon travail à *L'Escargot*, j'allais moi aussi donner un coup de main au bar. Ma mère, sans rien cacher, avait présenté à tout le monde Shûichi comme son fiancé, et tous les félicitaient chaleureusement, en termes bourrus, comme le font les gens de la campagne. Ils n'avaient pas voulu s'installer ensemble avant la noce, et ne découchaient pas non plus. L'un comme l'autre approchaient de la cinquantaine, mais ils entendaient garder leur relation platonique jusqu'au mariage. Peut-être bien que ma mère était toujours vierge. Au fil du temps, j'ai commencé à y croire.

Ce jour-là, en raison d'une annulation la veille, *L'Escargot* était exceptionnellement fermé. Levée plus tard que d'habitude, je venais de faire cuire le pain d'Hermès et, comme j'avais du temps, j'étais tranquillement en train de prendre un bain, dans la matinée, lorsque j'ai vu ma mère derrière la porte vitrée de la salle d'eau.

Depuis quelque temps, elle avait beaucoup maigri. Sa silhouette brouillée était aussi filiforme qu'une branche d'arbre dépouillée de ses feuilles, l'hiver. Son corps paraissait prêt à se briser au moindre contact et il suffisait d'une bourrasque de vent un peu violente pour m'inquiéter.

En partie parce que Shûichi était spécialisé dans les soins palliatifs, ma mère avait refusé toute intervention chirurgicale, chimiothérapie ou radiothérapie, et prenait des remèdes maison. Malgré tout, même avec l'énergie qui était la sienne, la maladie la minait progressivement.

Elle m'a lancé d'une petite voix :

— Je voudrais te parler de quelque chose.

Rester debout semblait la fatiguer, elle s'est accroupie tout près de la porte vitrée.

— En fait, je voudrais te demander d'organiser le repas de noces, a-t-elle dit.

Le mariage devait être célébré pendant le pont du début du mois de mai, dans la chapelle de l'hôpital où travaillait Shûichi. Après, il était prévu d'inviter une foule d'amis et de connaissances à un grand repas dans une ferme voisine.

Ce qu'elle voulait dire, c'était qu'elle souhaitait que je prépare le repas pour tout le monde ?

A la réflexion, je n'avais encore jamais vraiment cuisiné pour elle. J'étais décidée à faire pour ma mère tout ce qui était en mon pouvoir et, intérieurement, j'ai accepté avec joie. Alors, elle a poursuivi :

— Je me disais que, pour l'occasion, on pourrait manger Hermès. Elle sera plus heureuse comme ça. Sinon, elle aura de la peine quand je ne serai plus là. Alors, dis-toi que c'est la dernière fois que je te demande quelque chose…

Et en effet, c'est la seule et unique preuve d'amour filial que j'ai pu lui offrir.

Un des tout premiers jours du printemps, nous nous y sommes mis à deux, Kuma et moi, pour passer un collier de chien et une laisse au cou d'Hermès et la faire sortir de la soue.

Dehors, il faisait si beau, le soleil riait dans le ciel bleu, les oisillons pataudes battaient des ailes vers les nuages blancs, et pourtant, je devais accomplir un acte terriblement triste.

Au rebord des toits, les dernières stalactites de l'hiver, pendant mollement comme les seins d'une vieille femme, laissaient s'écouler des gouttes d'eau, scandant un rythme nouveau.

Cela faisait plusieurs jours que je ne dormais presque plus.

Chaque fois que j'entendais le bruit des pas d'Hermès, sentais l'odeur d'Hermès, pétrissais la pâte du pain préféré d'Hermès, le joyeux visage vaillant et comme souriant de celle qui était quasiment devenue une sœur pour moi s'imposait à mon esprit.

Ma mère ressentait sans doute la même chose.

Quand elle m'avait annoncé qu'elle voulait manger Hermès, il lui arrivait encore de lancer pour plaisanter – « C'est moi qui lui donnerai le coup de grâce » ou alors « Je suis sûre que son sang sent la rose, évidemment, puisque c'est mon *alter ego* » –, mais plus le moment de passer à l'acte approchait, moins elle avait d'entrain, et d'appétit aussi.

Tu es sûre et certaine ?

Cette question, je l'avais écrite de nombreuses fois sur mon carnet, pour m'en assurer. Mais à chaque fois, ma mère se bornait à me répondre, d'une petite voix de grand-mère : « Fais-le, je t'en prie. »

En fin de compte, sans prendre la photo d'elles deux qu'elle avait tout d'abord prévu de commander à un photographe professionnel, la veille au soir, alors que tout le monde dormait, ma mère était allée seule voir Hermès, s'était approchée pour l'embrasser sur la joue, l'avait prise dans ses bras, enlaçant fermement son dos imposant, lui avait donné une montagne de son pain aux noix préféré et puis, pendant qu'Hermès mangeait goulûment, elle était rentrée à la maison.

Je l'avais vue faire, aux aguets derrière la petite fenêtre de ma chambre. Et puis ce matin elle était restée au lit, sans se montrer, alors tout compte fait, cela avait été leurs ultimes adieux.

Sur l'étroit sentier de montagne où les plantes commençaient à bourgeonner, les yeux d'Hermès qui avançait lentement, d'un pas mal assuré, avaient rétréci, enfoncés dans leurs orbites. On aurait dit qu'elle riait, ou alors, qu'elle luttait contre l'envie de pleurer en faisant semblant de rire.

Moi, je ne savais plus du tout si ce que je m'apprêtais à faire était bien ou mal. Lorsque j'arrivais à un semblant de réponse, celle-ci me filait entre les doigts et s'envolait.

Si cet étroit chemin pouvait ne jamais finir, comme un escalier à vis !

Comme j'aimerais que tout s'achève ainsi, par une simple promenade nonchalante avec Hermès sous cet agréable ciel de printemps ! Nous rentrerions en criant « C'est nous ! » et ma mère nous accueillerait avec le sourire, son corps libéré de la maladie.

Mais nous sommes arrivés à destination en un clin d'œil.

L'endroit, un corps de ferme à l'abandon, appartenait à un éleveur qui était à la fois un ancien camarade d'école, un ami intime et un compagnon de beuverie de Kuma. A présent, la famille élevait principalement des vaches à lait et vendait du lait et des yaourts. Mais autrefois l'activité avait été plus diversifiée, avec notamment un élevage porcin. De nos jours, à part dans certains cas particuliers, il est interdit d'équarrir des animaux d'élevage ailleurs qu'à l'abattoir. Mais comme cet éleveur, dans son enfance, avait aidé son grand-père à tuer le cochon pour la maisonnée, il continuait à mettre à profit son savoir-faire et, plusieurs fois par an, lorsqu'un voisin le lui demandait, il se chargeait de dépecer un cochon en secret, sans passer par l'abattoir.

Hermès savait. Elle savait, ou plutôt, elle avait tout compris. Son propre destin, bien entendu, mais aussi la maladie de ma mère, les tensions entre nous, et tous les sentiments contraires, impossibles à énoncer, qui m'agitaient.

Je me suis accroupie, j'ai cherché son regard et je l'ai longuement regardée dans les yeux. Plus que d'une vieille femme, son visage était celui d'un vieil homme sage et réfléchi. Sous les rayons du soleil haut dans le ciel, ses cils blancs luisaient. Ses longs sourcils évoquaient ceux d'un ermite.

J'ai déplié mes doigts crispés par la nervosité et, timidement, j'ai caressé sa joue. Son visage a pris une expression encore plus douce, elle a entrouvert la bouche comme pour sourire, puis elle a doucement fermé les yeux.

Merci.

C'était bref, mais je suis heureuse d'avoir pu passer du temps avec toi.

Je me suis adressée à elle de ma voix transparente, puis je me suis doucement relevée et éloignée.

Hermès avait-elle reçu mon message d'adieu ?

Elle s'est avancée d'elle-même vers Kuma et son ami qui attendaient. Les deux hommes l'ont fermement maintenue par-derrière.

— Rinco, c'est bon ? C'est vraiment la dernière fois, là, m'a gentiment demandé Kuma d'un ton bienveillant.

Sans rien dire, ou plutôt, sans plus rien pouvoir dire, je suis restée où j'étais et me suis simplement profondément inclinée, presque jusqu'à ce que le sommet de mon crâne touche le sol. A mes pieds, des insectes rampaient et au-dessus de moi, le soleil rougeoyait comme une boule de feu.

J'ai dit ma toute dernière prière pour Hermès.

Je vous en prie, faites en sorte qu'elle souffre le moins possible.

Faites en sorte que sa vie de cochon s'achève sans douleur.

C'était tout ce que je pouvais faire.

— Oh hisse !

Les hommes synchronisaient leurs efforts en criant. Immobilisée, Hermès a été retournée, ses pattes de devant attachées ensemble avec une corde, puis celles de derrière. Un bâton a été glissé entre ses pattes et elle a été soulevée.

Alors qu'elle était restée calme jusque-là, son instinct s'était-il réveillé, elle poussait des cris terribles. Des pleurs semblables à ceux d'un nouveau-né, des sanglots poignants comme si elle en appelait de tout son cœur à sa mère. J'ai fermé les yeux, mais je ne me suis pas bouché les oreilles, je me suis ouverte à elle de tout mon être. Sous mes yeux, elle a été emportée par les deux hommes.

Après un rinçage sommaire à l'eau, Hermès a été accrochée à la branche d'un gros arbre dans la cour.

Elle était prisonnière mais elle vivait encore. Peut-être était-elle fatiguée de crier, ses grognements perçants avaient cessé, seule sa respiration saccadée me parvenait aux oreilles.

Ouvrant les yeux, je me suis lentement approchée d'Hermès. A chaque respiration, son corps enflait comme un ballon de baudruche. Un seau était posé juste en dessous d'elle, tout était prêt.

Ce jour-là, le responsable du dépeçage d'Hermès, c'était moi. Et c'était au responsable de trancher la carotide.

L'ami de Kuma est allé chercher un couteau dans le hangar et me l'a tendu. Kuma, comme pour me dire de couper là, m'a montré du doigt l'emplacement de la carotide. D'un seul mouvement, en faisant le vide dans mon esprit, j'ai planté le couteau dans l'artère. Le sang a giclé comme un feu d'artifice, dessinant un motif dentelé sur la joue tannée de Kuma.

Hermès n'a pas souffert.

Ou plutôt, elle a sans doute eu mal, mais elle ne l'a pas montré.

Kuma et son ami n'arrêtaient pas de répéter : « Quel beau cochon ! » Dans les yeux creusés d'Hermès, semblables à des raisins secs, il me semblait voir des larmes perler, c'était insoutenable. Hermès a arrêté de bouger et elle est morte.

Au bout d'un moment, le sang qui irriguait son corps a rempli le seau. On le remuait sans arrêt avec un bâton, en faisant mousser la surface. C'était pour éviter qu'il ne se fige. Ce sang servirait à fabriquer du boudin.

Je ne voulais rien laisser perdre du corps d'Hermès, jusqu'à la dernière goutte de sang.

Qu'il s'agisse des pelures de grande bardane, des fils des pousses de soja ou des graines de pastèque, tous les aliments sont vivants, j'en suis convaincue, et je fais très attention à n'en rien gaspiller, mais dans le cas d'Hermès, ma détermination était encore plus grande. A Okinawa, on dit que tout se mange dans le cochon sauf les grognements, et moi aussi, à part ses yeux et ses ongles, j'avais décidé de tout cuisiner d'Hermès.

Une fois complètement vidée de son sang, nous avons décroché Hermès de l'arbre et, sur une bâche en plastique recouvrant le plan de travail tout proche, nous l'avons plongée dans une eau à cinquante degrés environ, avant de gratter ses poils avec des cuillères et des pierres effilées. Puis nous avons passé sa peau au chalumeau pour qu'elle soit bien lisse. Une fois ces préparatifs achevés, le moment est venu de la découper.

Kuma et son ami s'y sont mis à deux pour écarter les pattes arrière d'Hermès et les bloquer avec un bâton, puis ils l'ont accrochée à la même branche d'arbre que tout à l'heure et ont immobilisé son corps. Il paraît qu'il existe maintenant des instruments spéciaux, plus modernes, mais la découpe peut très bien se faire avec des outils courants. Il s'agissait de sectionner la trachée d'Hermès avec une sorte de grosse scie, de couper en deux sa tête et son torse, puis de fendre son ventre au milieu, bien droit, de haut en bas, pour extraire les organes internes.

Ces opérations aussi, c'était à moi qu'il revenait de m'en occuper, en tant que responsable. Mais comme c'était un vrai travail de force, l'ami de Kuma, debout derrière moi, m'a aidée en soutenant le couteau. En prenant garde à ne pas abîmer les viscères, j'ai soigneusement et prudemment découpé Hermès.

A l'instant où j'ai entaillé la chair, les entrailles ont jailli. Mais, encore attachées à l'intérieur du ventre, elles ne sont pas tombées. J'ai mis des gants bien ajustés, comme ceux qu'utilisent les chirurgiens, et, plongeant directement les mains dedans, j'ai décollé les viscères et les ai sortis. Le ventre d'Hermès, visqueux et doux, était encore tiède.

Par terre était étalée la bâche en plastique utilisée auparavant pour l'épilation. Les organes aux couleurs vives ont atterri bruyamment, les uns après les autres, sur le plastique bleu. Ils luisaient sous les flots de lumière, tout brillants et encore palpitants. Comme des enfants qu'Hermès aurait portés en son sein, ils tombaient un à un.

Le cœur était tout petit par rapport à son corps imposant. Quand je l'ai mis sur la balance, pour voir, il pesait à peine trois cents grammes. Le foie, tout mou. Les rognons, minuscules. L'estomac, plutôt ferme. L'intestin grêle, de presque deux mètres de long. Et puis le gros intestin.

L'ami de Kuma m'a appris le nom de chaque partie, en me la montrant du doigt.

En dernier est apparu l'utérus qu'Hermès n'avait pas une seule fois eu l'occasion d'utiliser. La truie possède un utérus bicorne. Il a la forme d'une plante dont les bourgeons émergent soudain de terre. On l'appelle *kobukuro*. Cette fois, c'est Kuma qui m'a appris le terme, il l'a écrit en gros caractères sur le sol avec un bâton en bois.

Maintenant, Hermès allait être coupée en deux dans le sens de la longueur et sa carcasse débitée en morceaux avec une sorte de tronçonneuse, un travail qui demandait de la force et que j'avais décidé de confier aux deux hommes.

J'avais posé les intestins retournés sur le plan de travail et j'étais en train de les laver lorsque la tête d'Hermès m'a été apportée.

Elle avait les yeux légèrement entrouverts. Ses oreilles étaient molles, son groin encore humide. C'était le visage d'Hermès qui, un instant plus tôt, bougeait encore. Peut-être avait-elle souffert quand on l'avait tuée, le pourtour de ses yeux était humide.

Pardon.

Mais puisque nous en sommes là, je vais tirer de toi les meilleures cochonnailles du monde.

C'était le seul moyen à ma disposition pour assurer le repos de l'âme d'Hermès.

Sans attendre, j'ai plongé la main dans sa bouche et lui ai sectionné la langue. On m'a aussi apporté ses quatre petits pieds.

Après avoir soigneusement lavé la vessie, je l'ai gonflée comme un ballon et accrochée à une branche d'arbre. Je m'en servirais plus tard, pour préparer les saucisses.

Les hommes continuaient à découper la carcasse. Côtes, échine, poitrine, jambon, épaule, travers étaient détaillés puis mis en sacs au fur et à mesure et posés à l'ombre des arbres. Comme la peau gélatineuse servirait de liant pour la chair à saucisse, ils l'ont apportée en entier, détachée de la carcasse, jusqu'au plan de travail où je me tenais.

Les saucisses sont normalement préparées avec de la viande hachée additionnée entre autres de sel, d'épices et d'œufs, dont on garnit les intestins, et je pourrais les confectionner une fois de retour à *L'Escargot*. Mais le boudin noir, lui, est meilleur quand on le prépare avec des abats frais, j'ai donc commencé par là.

Après avoir finement émincé et salé le cœur et les rognons, je les ai mélangés au sang recueilli dans le seau. Pour l'assaisonnement, j'avais décidé d'utiliser du « sel de pleine lune ». Un sel naturel, ramassé les nuits de pleine lune sur les côtes des environs, selon les mêmes techniques traditionnelles depuis toujours, et auquel on attribue une énergie vitale particulière. Je tenais absolument à offrir ce sel au corps de ma mère.

J'ai ajouté de la peau finement hachée, le lard du dos et quelques morceaux de l'épaule découpée par les hommes, et j'ai rempli l'estomac lavé de cette préparation. Il ne restait plus qu'à le fumer puis le laisser reposer, et le boudin serait prêt.

Après avoir fait mes derniers adieux au visage d'Hermès, j'ai posé sa tête au centre du plan de travail et, avec un couteau, je lui ai tranché les oreilles. J'avais prévu d'en faire une salade *mimigâ* d'Okinawa. Puis j'ai fendu la tête en deux parties égales. En grinçant, la lame du couteau a découpé le visage d'Hermès. Le cerveau qui l'avait animée, bien plus petit que je l'imaginais, était enveloppé d'une lueur douce, comme une perle.

Une moitié de la tête serait préparée en terrine, à mon retour à *L'Escargot*, tandis que l'autre moitié, émincée, servirait à farcir la vessie pour confectionner un saucisson de tête de porc.

Faisant le vide dans mon cœur, j'ai détaillé la tête d'Hermès.

Je l'ai fait avec beaucoup de douceur, même les plus petits morceaux, je les manipulais très soigneusement, avec amour.

Assurément, Hermès n'était plus Hermès.

Elle ne grognait plus, ne mangeait plus, ne réclamait plus de câlins.

Mais Hermès n'était pas morte, loin de là.

Pendant que je hachais la viande, cette certitude m'a empli la poitrine.

Oui, même dans les plus petits morceaux d'un millimètre sur un millimètre, l'âme pure d'Hermès vivait encore.

Lorsque je l'ai compris, soudain, je ne sais pas pourquoi, j'ai eu l'impression d'être protégée par une sorte de tendre rayonnement émanant d'Hermès, de flotter agréablement sur une mer calme et familière au printemps.

Jusqu'à la tombée de la nuit, j'ai continué à travailler sur place, chez l'ami de Kuma. Vu de là-bas, le ciel baigné par les dernières lueurs du soleil couchant était teinté de ce rose brumeux propre au début du printemps, un beau rose tout à fait de la couleur d'Hermès.

Lorsque je suis arrivée à *L'Escargot*, me traînant péniblement, recrue de fatigue, la viande d'Hermès, transportée par Kuma dans une voiture à bras, était déjà emballée dans des sacs en plastique alignés en rangs serrés dans le réfrigérateur.

En tout, il y en avait près de cent kilos. Dans la journée, pendant leurs pauses cigarette, Kuma et son ami avaient échangé leurs points de vue avertis – « Pour une vieille truie, c'est de la chair fraîche ! » ou encore « C'est peut-être parce qu'elle n'a jamais mis bas, non ? » –, et moi aussi je trouvais que la viande d'Hermès était d'un beau rose pâle, avec ni trop ni trop peu de gras, très harmonieuse. Peut-être parce que ma mère lui donnait de la nourriture de qualité. Ce n'était qu'une impression, mais il me semblait que la viande d'Hermès exhalait une riche senteur de forêt, une sorte de pot-pourri de noix, d'herbes et de terre.

En poussant un profond soupir, j'ai mis de l'eau à chauffer pour me faire un thé.

J'avais travaillé debout toute la journée, mes pieds étaient gonflés. Chose rare, j'avais même des courbatures dans les épaules. Tout en buvant à petites gorgées un *chai* au thé vert que j'avais torréfié moi-même, je songeais vaguement qu'à partir de demain, je n'aurais plus à faire cuire de pain pour Hermès. Dans le réfrigérateur, il restait du levain pour son pain.

Je n'étais pas spécialement abattue, mais j'avais un peu de vague à l'âme. En feuilletant les livres de recettes alignés sur une étagère dans un coin de la cuisine, j'ai commencé à réfléchir au repas de noces de ma mère. Il me restait encore une montagne de choses à faire. Ce n'était pas le moment de se laisser aller au sentimentalisme.

Mon idée était d'offrir à ma mère un tour du monde gastronomique.

En fait, au début, Shûichi et elle devaient partir en voyage de noces mais, ces derniers temps, elle s'affaiblissait à vue d'œil et l'entreprise paraissait relever de l'impossible. Shûichi avait jugé qu'elle n'aurait même pas la force d'aller jusqu'à l'aéroport, sans parler de prendre l'avion. J'espérais donc qu'au moins déguster les mets de régions variées lui donnerait l'impression d'être partie en voyage. Le porc, élevé partout dans le monde, pouvait être accommodé de multiples façons. Je le savais, moi qui avais travaillé dans des tas de restaurants différents à l'époque de mon apprentissage en ville. C'était un défi magistral qui titillait mon âme de chef cuisinier. Mais comme toujours, j'avais du mal à décider du menu.

A compter de ce moment, je ne suis presque plus rentrée à la maison. Je dormais à *L'Escargot*, consacrant quasiment toutes mes nuits aux préparatifs. Durant cette période, le restaurant est resté fermé. Après avoir découpé en morceaux faciles à cuisiner la viande fraîche comme le travers, par exemple, que j'utiliserais tel quel, je les ai emballés dans du film alimentaire pour les congeler. J'ai préparé des salaisons et du roulé de porc grillé avec le plat de côtes, du lard avec la poitrine et du jambon avec la cuisse. J'ai haché ensemble la tête, les jarrets, les rognures de viande récupérées sur les autres parties et les parures, pour confectionner du salami, des boulettes de viande et des saucisses. Pour les saucisses, le propriétaire de la ferme où aurait lieu le repas devait me procurer des boyaux naturels de mouton.

Pour la première fois, je me suis lancée dans la préparation de jambon cru. C'était l'un des mets préférés de ma mère et elle avait demandé qu'après sa mort on en offre en remerciement à ses amis et connaissances. Pour faire du jambon cru, j'ai relevé un morceau de filet avec un mélange de sel, de sucre et d'herbes aromatiques, et je l'ai laissé sécher peu à peu.

Chaque minute était précieuse.

Cuisiner seule un porc tout entier était une tâche exténuante tant physiquement que psychologiquement. Il y avait aussi plein de choses que j'ignorais. Dans ces cas-là, j'interrogeais par fax la femme de l'unique boucher du village, dont l'étalage était installé dans le supermarché Yorozuya et que Kuma m'avait présentée. Elle répondait à toutes mes questions de néophyte et me prodiguait ses conseils avec sollicitude.

L'épaule et l'échine, qui sont des parties tendres et grasses, pouvaient être rôties ou braisées. La viande épaisse qui recouvre le foie et l'extrémité des côtes, très savoureuse, pouvait être tranchée en fines lamelles et bouillie. Le filet mignon, un petit morceau situé entre les côtes et la cuisse, tendre et plutôt maigre, convenait à tous les mets. La cuisse, peu grasse, pouvait être rôtie telle quelle avec l'os. La partie allant du dessous du poitrail jusqu'au ventre, alternant couches de viande et de graisse, aussi appelée lard maigre, était très goûteuse. Le jarret à la viande moins fine se prêtait aux ragoûts longuement cuits.

Tout cela m'a été expliqué par la femme du boucher, avec à l'appui le schéma d'un porc désignant les différentes parties. Grâce à ses leçons, j'ai pu décider quels plats j'allais préparer, et Kuma et ses amis ont généreusement donné de leur temps pour m'aider à me procurer tous les ingrédients nécessaires.

C'est ainsi que nous sommes arrivés à la veille du repas de noces.

Je suis rentrée à la maison, pour la première fois depuis longtemps, et comme je devais me lever tôt le lendemain matin, je me suis allongée sur mon lit pour faire un somme. Il n'y avait pas à dire, comparé au canapé fabriqué avec des caisses à vin, le vrai lit de ma chambre promettait un sommeil plus réparateur.

Je devais être vraiment fatiguée car je n'ai même pas entendu les hululements de Papy hibou. Mais un peu après une heure du matin, la porte de ma chambre s'est doucement ouverte et ma mère, toute maigre, est entrée. Je dormais à moitié.

Elle est venue tout droit jusqu'à mon lit, s'est accroupie et a regardé mon visage.

Je le sais à cause de l'odeur de son parfum. Moi, sans ciller, j'ai fait semblant de dormir. La haine qu'elle m'inspirait avant m'avait quittée, on aurait pu m'ausculter jusque dans les moindres recoins, me secouer la tête en bas, elle avait disparu. Mais mon corps réagissait quand même de la même façon qu'avant.

— Rinco…

Pour la première fois depuis très longtemps, ma mère a prononcé mon prénom. J'ai failli lui demander « Quoi ? » mais je n'avais pas de voix.

— Je t'en supplie, parle-moi avant que je parte…

Elle a chuchoté de sa voix éraillée, puis elle a délicatement posé les doigts sur ma joue. Ses doigts froids et caoutchouteux ont maladroitement caressé ma peau. Mais je n'arrivais toujours pas à ouvrir les yeux et j'ai continué à faire semblant de dormir.

En réalité, j'aurais voulu lui dire merci.

Merci de m'avoir mise au monde.

Mais j'étais incapable de parler.

J'étais triste et contrariée et je m'en voulais. Et puis, à la place de ce merci que j'étais incapable de lui dire, j'allais me serrer contre sa poitrine et lui demander pardon pour tout quand elle s'est relevée et a quitté ma chambre sans faire de bruit.

Rien qu'une fois, j'aurais aimé qu'elle me serre fort dans ses bras. Mais j'avais manqué de courage.

C'était la veille de son mariage.

Sous une pluie de pétales de fleurs, les noces de ma mère et de Shûichi ont été fêtées en grande pompe, dans une ferme du village pleine de verdure.

J'ai regardé de loin ma mère faire son entrée, souriante, sur le cheval blanc de Néocon. Sa robe de mariée, qu'elle avait passé des heures à dessiner avant de la confier à une couturière, était de bon goût, à la fois élégante et d'une grande fraîcheur.

Sous son maquillage exceptionnellement léger, son visage presque nu était d'une blancheur de neige. Derrière elle, Shûichi la soutenait discrètement. Celui qui tenait la bride du cheval était évidemment Néocon mais, de façon surprenante, le trio formé par ma mère, Néocon et Shûichi semblait couler de source et dégageait une étrange harmonie.

Partout les trèfles blancs en fleurs brillaient comme des perles éparpillées.

Mais la mariée était la plus radieuse.

Désormais, ma mère allait être heureuse.

En méditant cette réalité, je me suis attelée aux derniers préparatifs.

Une brise chargée des effluves du printemps m'a agréablement enveloppée.

Pour moi, cuisiner, c'était *prier*.

C'était une prière d'amour éternel entre ma mère et Shûichi, une prière de gratitude pour Hermès qui avait sacrifié son corps pour nous, et aussi une prière aux divinités de la cuisine, qui m'avaient accordé le bonheur de cuisiner.

Je n'avais jamais ressenti autant de joie qu'en cet instant.

Devant la profusion de mets alignés sur les nappes fabriquées en cousant ensemble des draps, je me suis abandonnée à mon émotion.

Les discours du marié et de la mariée terminés, l'assistance s'est dirigée vers les tables. Les nombreuses bouteilles de champagne étaient le cadeau de mariage de Néocon et dans la coupe que chacun tenait à la main flottaient des pétales de cerisier confits. La mère de Kozue, la fillette qui m'avait apporté son lapin anorexique, avec qui j'étais devenue amie, m'avait gentiment cédé une partie de ceux qu'elle avait préparés avec des fleurs de cerisier de l'an passé. Cela remplaçait le thé à la fleur de cerisier des grandes occasions.

Après avoir trinqué, chacun s'est servi comme il l'entendait au buffet, remplissant son assiette des mets que j'avais préparés. Hermès, métamorphosée, faisait ses premiers pas sur une nouvelle voie. Elle allait maintenant pénétrer le corps humain et, de l'intérieur, insuffler de l'énergie à ceux qui la mangeaient. Son existence se poursuivrait ainsi, dans la tendresse.

Les cerisiers plantés un peu partout dans la ferme, comme s'ils pleuraient de joie, laissaient leurs pétales danser dans le vent et choir sur les tables. Je me suis mordu les lèvres, luttant à la fois contre le rire et les larmes.

J'avais encore beaucoup de travail. Le chef cuisinier en charge du repas de noces ne pouvait pas se permettre de pleurnicher.

Une multitude de plats s'alignaient sur les tables.

La terrine de tête, accompagnée de légumes du terroir en pickles.

Les oreilles, bouillies avec des épluchures de légumes dans du vinaigre puis coupées en tranches fines, accommodées en salade *mimigâ* à la française avec de l'huile d'olive et du vinaigre de vin.

La langue, moitié à la chinoise, macérée et mitonnée dans une marinade à base de sauce de soja, de cinq épices et d'autres condiments, moitié revenue avec chou, sel et poivre.

Le cœur, dans le boudin noir.

Le foie et les cartilages, fumés aux copeaux de cerisier.

L'estomac, simplement salé et grillé au feu de bois, arrosé de jus de citrons cultivés sans pesticides au Japon même.

L'utérus, cuit avec le reste des tripes dans un bouillon de poulet de Hinai, accompagné de moutarde *komatsuna* et de boulettes de calmar, en garniture de nouilles de riz servies avec un jaune d'œuf cru – un plat du Myanmar appelé *kyey o*.

Les pieds de porc, longuement bouillis et bien gélatineux, en *ashi tebichi* d'Okinawa.

Le jarret, mijoté plusieurs heures avec des légumes racines entiers, en pot-au-feu à la française.

L'échine, en morceaux de la taille d'une bouchée assaisonnés et roulés dans de la fécule de pomme de terre, rissolés à l'huile d'olive, puis accommodés à l'italienne avec une réduction de vinaigre balsamique.

Le plat de côtes mis en salaison, revenu avec du cresson, agrémentait une soupe au miso. Le roulé de porc grillé préparé à l'avance était servi soit en tranches, soit en garniture de nouilles à l'émincé de poireaux. Le reste du plat de côtes, congelé tel quel, était sauté avec le *kimchi* mis à mariner cet hiver.

Le filet avait presque entièrement servi à la confection du jambon cru, mais sur les conseils de la femme du boucher, j'avais rapidement ébouillanté le reste, puis l'avais coupé en tranches minces et enveloppé dans de fines galettes de riz avec du crabe, des pousses de soja et de la ciboule de Chine, en rouleaux de printemps à la vietnamienne. Pour la sauce, je m'étais procuré du vrai nuoc-mâm.

Le jambon préparé par mes soins avait servi à confectionner les sandwichs et garnir la salade de pommes de terre. Le morceau surgelé cru avait été rôti avec l'os et rehaussé de pâte de piment parfumée au yuzu. Le reste, haché, donnait du corps à un *mâbôdôfu* bien relevé au poivre du Sichuan. Les derniers morceaux avaient servi à farcir des poivrons verts avec du riz au bouillon, en *dolma* turc. Enfin, les toutes dernières miettes étaient venues enrichir des *pirojki* russes.

Avec une partie de la poitrine, j'avais préparé du lard pour faire des petits pains aux lardons et au fromage. Grâce au levain naturel, en quelque sorte le dernier cadeau d'Hermès, c'était du bon pain de campagne, à la mie bien ferme.

Les travers de porc, rissolés avec des oignons et des tomates puis mijotés avec du cola, étaient accommodés à l'américaine. Les parties avec des os avaient été roulées dans la farine et frites à très haute température, à la façon des bouchées de porc à la chinoise.

Le précieux filet mignon, en toute petite quantité, avait reposé, salé et poivré, avant d'être sauté avec des petits oignons et de l'ail et ensuite cuit quelques minutes à l'autocuiseur avec des pommes. En dernier, j'avais rectifié l'assaisonnement au vin blanc et servi avec de la crème aigre.

Pour le dessert, il y avait un gâteau de mariage fait maison.

Il n'était pas très beau, mais j'avais quand même réussi à lui donner une certaine allure. Pour la décoration, j'avais utilisé beaucoup de fleurs sauvages, pissenlits, violettes et roses. Elles étaient toutes comestibles. Même ma mère qui n'avait plus d'appétit a réussi à en manger.

Pour le thé, j'avais demandé à des membres de la famille de Kuma, installés à Kyûshû, de m'envoyer des fleurs de robinier. Avec ces fleurs flottant à la surface, j'ai pu préparer un thé à l'acacia à l'arôme frais, parfaitement approprié au repas de noces de ma mère et de Shûichi.

En guise de cadeau de remerciement aux invités, j'avais préparé des *ekubo manju*. Au sommet du gâteau en pâte d'igname fourré d'une purée de haricots rouges, on trace un minuscule point rouge avec un pinceau trempé dans du colorant alimentaire, qui vient relever la blancheur de l'ensemble. La paire de gâteaux, côte à côte dans leur boîte, évoquait ma mère et Shûichi, tête contre tête, souriants.

Faites qu'ils gardent le sourire le plus longtemps possible !

En priant pour que ce soit le cas, un par un, j'avais soigneusement décoré les gâteaux de ce point rouge.

Evidemment, je n'avais pas pu accomplir tout cet énorme travail toute seule. Le repas de noces de ma mère et de Shûichi n'aurait jamais vu le jour sans la coopération des habitants du village. Je ne m'en étais pas rendu compte, mais tant ma mère que le bar *Amour* étaient solidement enracinés dans ce petit village de montagne.

Lorsqu'on voyait ma mère, elle n'avait pas besoin de dire quelle était sa maladie, on le devinait immédiatement. Tous ceux qui souhaitaient lui faire goûter un dernier bonheur s'étaient portés volontaires et avaient gracieusement participé à la préparation de la fête.

Tout le monde était aux anges.

Ma mère aussi, comme Shûichi qui ne la quittait pas un instant, affichait le plus beau sourire que je lui aie jamais vu.

En réalité, le simple fait d'être là mobilisait toute son énergie et elle ne pouvait presque rien manger. Malgré tout, elle contemplait de loin, d'un air pénétré, la métamorphose d'Hermès.

Hermès n'avait pas disparu, loin de là.

Elle avait simplement changé d'aspect.

Dans l'après-midi, je regardais les rayons du soleil printanier miroiter sur les tables couvertes d'assiettes, presque toutes vides, lorsque je l'ai soudain compris.

Mais si je repense davantage à cette journée, je vais m'effondrer.

Alors, je m'applique à n'y repenser qu'un tout petit peu.

Mes souvenirs les plus chers, je les range bien à l'abri dans mon cœur, et je ferme la porte à clé. Pour que personne ne me les vole. Pour les empêcher de se faner à la lumière du soleil. Pour éviter que les intempéries ne les abîment.

Ensuite, très vite, ma mère est morte.

Elle avait retrouvé son amour de jeunesse qu'elle n'avait jamais oublié, elle s'était mariée et avait vécu quelques semaines avec lui, peut-être la soif de vivre l'avait-elle complètement quittée. Peut-être son âme avait-elle considéré que c'était suffisant.

Jusqu'au tout dernier instant, elle a été une jeune mariée magnifique, et heureuse.

Ne sachant pas quoi lui offrir pour l'accompagner au paradis, j'ai déposé mon carnet dans son cercueil. Il contenait principalement des bribes de conversation avec les convives du restaurant, mais aussi les traces des rares et précieux échanges entre elle et moi. Si j'étais incapable de parler, je voulais, au moins, que mes mots la suivent.

Dans la maison, il ne restait plus que Papy hibou et moi.

Tous les soirs, sans faute, ce qui s'était passé cette nuit-là me revenait. La nuit précédant le repas de noces.

Je m'en voulais. Mon regret surpassait peut-être même le chagrin que me causait la mort de ma mère, il était plus lourd et plus profond.

Pourquoi, à ce moment-là, alors qu'elle m'en suppliait, n'avais-je pas été capable de lui parler ?

Lâche, dégonflée, hypocrite !

La voix de ma conscience m'insultait, me torturait sans cesse.

Je savais qu'il ne servait à rien de regretter le passé, mais je ne pouvais pas m'empêcher d'y repenser. Je ne reverrais plus jamais ma mère. Même si, à l'avenir, je retrouvais ma voix, elle ne pourrait pas l'entendre.

La nuit, tant que Papy hibou n'avait pas annoncé minuit, il m'était impossible de m'endormir.

Depuis la mort de ma mère, *L'Escargot* était fermé.

Ce jour-là, je suis allée distribuer à ses amis et connaissances et aussi à tous ceux qui avaient bénévolement aidé à organiser la fête le fameux jambon cru confectionné avec le filet d'Hermès.

C'était la dernière volonté de ma mère.

Kuma m'a emmenée dans sa camionnette chez ceux qui habitaient loin et je suis allée avec l'escargot chez ceux du voisinage ; j'ai rendu visite à tout le monde dans la journée.

La saison, laissant mon cœur en plan, progressait à toute allure. Les cerisiers en fleurs de la ferme, tous leurs pétales envolés, étaient couverts de feuilles vivaces, bien vertes. Mais mon cœur rempli d'un grand vide restait de marbre même devant les arbres vigoureux de la forêt, pareils à des brocolis aux couleurs vibrantes rapidement blanchis à l'eau bouillante.

Pour la première fois depuis longtemps, je suis allée chez Shûichi. Au regard de l'état civil, il était maintenant mon père, mais ma mère et lui m'avaient demandé de continuer à l'appeler comme avant. Cet appartement, proche de l'hôpital qui l'employait, il l'avait acheté pour y vivre avec ma mère. Sans doute en prévision des soins qu'elle nécessiterait, toutes les pièces étaient adaptées aux personnes à mobilité réduite et, dans le couloir comme dans la salle de bains et la cuisine, des rampes avaient été fixées pour faciliter les déplacements.

Shûichi, sa chevelure devenue toute blanche, vieillissait à vue d'œil. Cela ne m'étonnait pas. En quelques mois à peine, il avait goûté à toutes les vicissitudes de l'existence.

Je me suis profondément inclinée devant lui et je lui ai tendu le paquet de jambon cru en y mettant tout mon cœur.

Sur son insistance, j'ai accepté de prendre une rapide tasse de thé. La conversation a porté sur ma grand-mère.

Je l'ignorais totalement, mais elle aussi, semblait-il, comme la Favorite, avait été la maîtresse d'un homme politique, aujourd'hui décédé. Lorsque ma mère était encore toute petite, ma grand-mère s'était éprise de cet homme marié et père de famille, et, abandonnant son enfant, elle avait quitté la maison pour s'enfuir avec lui. De ce fait, ma mère connaissait très peu sa propre mère, elle avait passé son enfance baladée entre les membres de la famille et diverses institutions. Et c'était pour éviter à sa fille de subir le même sort qu'elle avait ouvert le bar *Amour*, qui lui permettait de travailler près de chez elle.

Voilà pourquoi ma grand-mère m'avait tant choyée, reportant sur moi l'amour qu'elle n'avait pu donner à sa propre fille. Si je l'avais su plus tôt, je me serais peut-être mieux entendue avec ma mère.

Ce soir-là, fatiguée d'avoir rencontré tant de gens, j'avais pris mon bain plus tôt que d'habitude et j'étais déjà au lit.

L'Escargot n'avait pas rouvert, je ne l'envisageais même pas. J'allais peut-être tout simplement le fermer.

Maintenant que ma mère n'était plus là, je ne voyais plus aucune raison de rester au village. Depuis sa mort, je végétais.

Perdue dans mes réflexions, je m'assoupissais lorsque, comme d'habitude, Papy hibou s'est mis à hululer.

Désormais, il était en quelque sorte ma seule famille.

Entendre sa voix une fois par jour à heure fixe suffisait, comme lorsque j'étais enfant, à m'apaiser un peu et à me préparer à m'endormir pour de bon.

Hou, hou, hou, hou… Comme toujours, son rythme était parfaitement régulier.

Mais alors que je venais de compter le neuvième hululement, soudain, Papy hibou s'est tu.

Et j'ai eu beau attendre, il n'a pas poussé son dixième cri.

Que lui arrivait-il ? S'était-il passé quelque chose au grenier ? Et si c'était un serpent qui se serait glissé à l'intérieur, puis autour du cou de Papy hibou…

J'ai scruté le plafond.

Dans mon souvenir, une pareille chose ne s'était jamais produite.

Subitement, l'inquiétude m'a envahie. Seule au monde. Voilà les mots qui tombaient du plafond, fondant droit sur moi.

Un frisson m'a parcouru l'échine et j'ai vraiment cru que mon cœur allait s'arrêter.

Papy hibou était la divinité protectrice de cette maison et ma mère m'avait formellement interdit d'essayer de le voir.

Donc, jusqu'à présent, je n'étais jamais allée au grenier. Mais là, il y avait urgence. Si jamais Papy hibou était en danger, il était de mon devoir de lui porter secours.

J'ai enfilé par-dessus mon pyjama la robe de chambre à fleurs que ma mère aimait tant et j'ai sorti une lampe de poche du sac d'urgence toujours posé à mon chevet. La lampe à la main, je me suis glissée dans le placard et j'ai précautionneusement soulevé la trappe qui menait au grenier.

Et là, j'ai été sidérée.

Car ce qui m'attendait au grenier n'était pas un vrai hibou, mais un réveil en forme de hibou.

Timidement, j'ai tendu la main vers Papy hibou.

Il avait la texture froide du plastique. Lorsque je l'ai soulevé, sa légèreté m'a surprise. Pour moi qui avais toujours imaginé un hibou vivant, dont l'image était fermement implantée dans mon esprit, cette découverte était aussi irréelle que les images d'un rêve.

En regardant mieux, j'ai vu une lettre posée sous Papy hibou. Soudain, j'ai repris mes esprits. C'était sûrement une lettre de ma mère. L'enveloppe portait, d'une écriture que je connaissais bien, les mots *Pour Rinco*.

La lettre à la main, je suis sortie du placard et j'ai vite allumé le néon de ma chambre.

J'ai coupé le bord de l'enveloppe avec des ciseaux en faisant bien attention à ne pas abîmer la lettre, puis je l'ai sortie, l'ai lentement dépliée et j'ai commencé à lire.

Chère Rinco,

Si tu lis cette lettre, c'est que tu sais, n'est-ce pas ? Pardon. Je n'avais pas l'intention de te mener en bateau, mais voilà, Papy hibou, en réalité, c'est un réveil. Mais réfléchis un peu : crois-tu vraiment qu'un hibou pourrait hululer avec une telle régularité, exactement douze fois à minuit, et en plus, tous les soirs sans faute ? Tu es vraiment trop bête ! Tout de même, je n'imaginais pas qu'à ton âge, tu croirais encore à l'existence de Papy hibou. Comme c'est moi qui l'ai inventé, ça me fait plutôt plaisir, mais bon.

Pour tout t'avouer, autrefois, quand tu étais petite, ça me faisait mal au cœur de te laisser seule à la maison, voilà comment l'idée m'est venue. J'ai toujours changé les piles, mais je ne pourrai plus le faire depuis l'au-delà, même avec l'énergie qui est la mienne, alors j'ai décidé de passer aux aveux.

Mais dis-moi, quand est-ce que ça a mal tourné entre nous ?

Une fois qu'il y a des nœuds, comme ils sont difficiles à défaire !

Moi qui t'aime de tout mon cœur, pourquoi n'ai-je pas réussi à te le montrer ? Peut-être que, dans un recoin de mon cœur, la pensée que tu n'étais pas l'enfant de celui que j'avais le plus aimé ne m'a jamais quittée. Je t'en demande pardon. Vraiment.

Mais je ne regrette pas de t'avoir mise au monde. Sans toi, je n'aurais pas vécu, et je n'aurais pas retrouvé Shû non plus.

Rinco, tu es bien plus mignonne et adorable que tu le crois. Alors, il faut que tu aies davantage confiance en toi ! Tu t'es fait plaquer par ton petit copain, la belle affaire ! Tu es ma digne fille et tu vas en faire tourner des têtes, c'est sûr.

Et puis, le repas que tu m'as préparé, c'était vraiment bon.

Merci beaucoup. C'est sincère, tu sais.

Je crois qu'Hermès aussi était heureuse. Si elle m'attend aux portes du paradis, je supporterai mieux de ne plus voir ma fille et mon mari.

Tu t'es drôlement donné du mal, hein ? Quel travail ça a dû être !

Telle que je te connais, je suis certaine que tu n'as pas rouvert L'Escargot, n'est-ce pas ?

Tu n'as plus tes parents, la maison est maintenant à toi, alors tu n'as plus besoin de travailler... ne va surtout pas penser ça. Tu me dois encore une partie de l'argent que je t'ai prêté pour l'ouverture. Rends-le-moi jusqu'au dernier sou, s'il te plaît !

Mets-le dans une bouteille de champagne vide (si possible, du Cristal Rosé) et enterre-la dans le potager. Parce que j'irai la chercher quand je renaîtrai.

Rouvre immédiatement le restaurant !

Tu es douée.

Grâce à ta cuisine, tu peux donner du bonheur aux autres.

Continue.

Puisque tu as ce don qui ne m'a pas été accordé, fais-en bon usage sans gaspiller la moindre minute.

Tu n'as aucune raison de te dévaloriser, Rinco. Tu es jolie, intelligente et excellente cuisinière, tu es faite pour être aimée.

C'est moi qui te le dis, et j'en ai vu passer des gens en plusieurs dizaines d'années, alors crois-moi. Tu ne m'as jamais crue quand je prédisais l'avenir, mais je voyais souvent juste, tu sais.

Bombe le torse et marche la tête haute.

Plante fermement tes deux pieds sur terre et respire profondément.

Une fille têtue comme toi doit davantage sortir, connaître l'amour et élargir son horizon.

Le monde est bien plus vaste que tu ne l'imagines, et si on le veut, on peut aller partout. Si tu veux manger de l'hippopotame, en Tanzanie ou ailleurs, c'est à portée de main !

C'est sans doute le dernier message qu'il m'est donné d'adresser à ma fille unique.

Nous ne nous sommes jamais bien entendues et je n'ai pas su m'occuper de toi comme une vraie mère, mais pour me racheter, je mettrai toute mon énergie à te protéger de là-haut. Je serai toujours à tes côtés, alors ne t'en fais pas. Chagrin d'amour n'est pas mortel !

Une dernière chose : l'Amour du bar Amour n'est pas celui auquel tu penses, c'est le fleuve qui coule en Russie.

Tous les deux, on s'était promis d'aller voir le fleuve Amour pour notre voyage de noces. Quand on était au lycée. Quand j'y repense, on faisait de sacrés lycéens, avec des drôles de goûts, mais à l'époque, on y tenait vraiment. Tu as déjà vu une carte postale du fleuve Amour ? Ce paysage me fascinait. C'est pourquoi j'ai demandé à mon mari d'y disperser mes cendres, un jour. Tu es d'accord, n'est-ce pas ?

Au bout du compte, nous n'avons pas pu réaliser ce rêve pour notre voyage de noces, mais comme j'ai fait le tour du monde grâce à ton repas, je suis to-ta-le-ment satisfaite.

Vraiment, vraiment merci. Je suis heureuse de t'avoir pour fille.

Et il faut que je te dise quelque chose, avant d'oublier.

Dans le réfrigérateur de la cuisine, il y a ton cordon ombilical.

Les choses importantes, il faut les mettre au freezer. Comme ça, quand on en a besoin, il suffit de les passer au four à micro-ondes, en général, ça fonctionne bien.

Enfin, un cordon ombilical, ça ne sert pas à grand-chose, mais bon.

C'est juste la preuve irréfutable que tu es ma fille.

Rinco, tu pensais que je n'étais pas vraiment ta mère, n'est-ce pas ? De nos jours, avec un test ADN, *on peut en avoir le cœur net tout de suite.*

La façon dont tu as été conçue, ça, tu le sauras quand on se retrouvera ici.

On dit qu'il faut partir en laissant place nette, n'est-ce pas ?

C'est la première et dernière vraie lettre que je t'écris.

Pardon d'avoir été une mauvaise mère.

Il y a encore une chose dont je dois absolument te parler.

Le rin *de Rinco, ce n'est pas celui de* furin, *l'adultère. Tu crois vraiment qu'une mère serait capable d'appeler son enfant comme ça ? Cette histoire, c'était juste pour donner le change. En réalité, c'est le* rin *de* rinri, *la morale. Je t'ai appelée ainsi parce que je souhaitais du fond du cœur que tu ne mènes pas une vie fantasque comme moi. Je voulais que tu sois sérieuse et appliquée, avec un solide sens moral.*

Et c'est ce que tu es devenue, pour ma plus grande joie.

Alors, fais honneur à ton prénom et continue à avancer fièrement.

Allez, si jamais on se rencontre quelque part un jour, ne fais pas semblant de ne pas me voir.

De la part de ta mère qui a mené une vie déréglée, mais qui, à la fin, a été heureuse,

Ruriko

La lettre froissée dans ma main serrée, j'ai dévalé l'escalier, couru jusqu'à la cuisine plongée dans l'obscurité, et j'ai ouvert la porte du frigo de toutes mes forces.

Du curry, qui datait d'on ne sait quand. Une banane toute noire. Une part de gâteau entamée. Il y avait même des crayons gras cachés entre les denrées alimentaires.

Au milieu de tout cela, j'ai trouvé quelques photos de moi petite.

Mon visage d'enfant aux couleurs fanées, couvert de givre, était, à ma grande surprise, orné d'un large sourire.

J'avais un jour souri ainsi à ma mère, je le réalisais pour la première fois de ma vie.

Du plus loin que je me souvienne, mon cœur avait été dominé par l'image écrasante de la « mauvaise mère ». Avant même de m'en rendre compte, j'étais déjà entrée en rébellion contre elle. Et alors, j'ai enfin compris. Pourquoi, dans mon album de photos, il n'y avait pas un seul cliché où je souriais. Pourquoi, ici et là, comme si des vers l'avaient rongé, il restait les traces de photos arrachées.

Une grosse larme a roulé sur ma joue d'enfant et est tombée en faisant un petit bruit.

Après avoir littéralement vidé le freezer, tout au fond, est apparue une petite boîte qui semblait correspondre. Elle avait viré au marron ; elle ne portait aucune indication.

Retenant mon souffle, j'ai doucement soulevé le couvercle.

Dedans, semblable à un moxa consumé, reposait un cordon desséché.

Maman...

Je l'ai appelée de ma voix éteinte.

M'entendait-elle ?

Maman, tu seras toujours ma mère.

Il y a ce qui a disparu pour toujours.

Mais qui, néanmoins, demeure éternellement.

Et puis il y a aussi, si on cherche avec ténacité, tout ce qu'on peut conquérir, toutes ces choses qui nous attendent.

Je me suis agenouillée sur le plancher froid de la cuisine.

Au creux de ma main, je serrais tendrement le cordon ombilical qui nous reliait, ma mère et moi.

En principe, on aurait pu croire que tout était résolu, mais le regret, comme une arête coincée au fond de ma gorge, ne voulait pas passer.

Je n'avais plus goût à rien.

Le début de l'été s'annonçait et *L'Escargot* était toujours fermé, seul le temps s'écoulait vaguement, passant au-dessus de moi, imperturbable.

Et puis, je ne faisais plus de vrais repas.

Je ne voulais plus voir de sang, ni en manger.

Je me nourrissais de préférence d'aliments sans vie.

Mon corps avait bizarrement maigri, ma peau était rugueuse.

Mais je m'en fichais.

La plupart de mes repas se composaient de plats tout prêts, certains jours, il m'arrivait même de manger des nouilles instantanées matin, midi et soir.

Du coup, j'étais passée experte dans l'art de cuisiner ce genre de plats. A tel point que j'aurais pu, sans mentir, me présenter comme « spécialiste en plats tout prêts ». Dans les placards de la cuisine de ma mère, il restait encore des montagnes de paquets de nouilles instantanées à la date de péremption dépassée.

Les plats préparés, dénués de tout lien affectif ou émotif, étaient, dans mon état d'hyperémotivité, la meilleure des nourritures.

Ma mère aussi s'était peut-être nourrie presque exclusivement de plats tout prêts pour ne rien ressentir, ne rien penser.

Les rares fois où je cuisinais, tout ce que je préparais avait toujours mon goût. Comme la pieuvre qui mange ses propres tentacules pour se remplir l'estomac, ou comme le chat qui se lèche les parties génitales, la conscience de ce que je mangeais m'échappait totalement. Un repas, c'est parce que quelqu'un d'autre le prépare pour vous avec amour qu'il nourrit l'âme et le corps.

C'est arrivé par une de ces journées floues, un après-midi ensoleillé.

Soudain, boum ! un coup sourd a retenti contre une des vitres.

Surprise, je me suis retournée : sur la vitre sale, la trace d'un impact.

Inquiète, je suis prudemment sortie de la maison. Un pigeon était étendu dans les herbes hautes.

Il saignait du cou.

Je me suis approchée, mais le pauvre était déjà mort.

Pensant l'enterrer au pied du figuier, je me suis accroupie pour prendre délicatement son cadavre entre mes mains. Lorsque je trouvais un insecte, un petit animal ou des fleurs fanées, je priais toujours ainsi pour leur repos. Les yeux et les ongles d'Hermès reposaient aussi au pied du figuier.

Et alors, portée par la brise tiède, la voix de ma mère m'a parlé à l'oreille.

Personne ne doit mourir en vain.

C'est vraiment ce que j'ai cru entendre. Sans le moindre doute, c'était la voix de ma mère quand elle était encore en bonne santé.

Hein ? J'ai vite regardé autour de moi.

Si possible, rien qu'une seule fois, j'aurais aimé que ma mère me serre fort dans ses bras.

Mais ce bref instant devait rester unique, et la voix de maman, comme de la fumée, a disparu au loin dans la forêt.

Tout ce qui me restait, c'était la dépouille du pigeon.

Subitement, il m'a semblé que ce pigeon, c'était ma mère.

Les pigeons d'ici, à la différence de ceux des villes, n'avalent rien de mauvais, ce sont des pigeons sauvages qui se nourrissent d'insectes et leur saveur est délicieuse, Kuma me l'avait expliqué un jour. Cela m'est soudain revenu à l'esprit.

Le corps du pigeon tendrement pressé contre ma poitrine, je me suis relevée.

Il était encore chaud.

Ma mère ne pouvait pas être morte en vain.

J'ai vite pris la clé de *L'Escargot*, je suis allée dans la cuisine et, pour la première fois en plusieurs mois, j'ai rempli d'eau un fait-tout et je l'ai mis à chauffer.

J'ai plongé le pigeon dans l'eau bouillante, l'ai soigneusement plumé.

J'ai incisé l'abdomen et l'ai farci avec les abats et des herbes aromatiques, j'ai salé et poivré puis, après un temps de repos, je l'ai fait rissoler avec de l'ail ; une fois bien doré, il ne restait plus à mon pigeon sauvage qu'à rôtir longuement au four.

Oubliant l'heure, je me suis jetée à corps perdu dans la cuisine.

Lorsque je suis revenue à moi et que j'ai regardé par la fenêtre, c'était déjà la fin de l'après-midi. Sous les feux du soleil couchant, un instant, le paysage entier m'est apparu comme recouvert d'une bonne couche de marmelade. Le palmier chanvre qui poussait près de l'entrée, illuminé par les rayons du soleil déclinant, étirait sa longue ombre. Le four laissait s'échapper un fumet délicat.

Dans une dizaine de minutes, le pigeon rôti serait prêt.

J'ai recouvert la table de *L'Escargot* d'une nappe en lin blanc toute neuve, parfaitement amidonnée. J'ai ouvert une bouteille d'Amarone, un excellent vin rouge préparé avec des raisins séchés à l'ombre que je pensais servir un jour à des clients, et j'en ai lentement rempli un grand verre à vin rouge au calice très large.

Sa robe d'un vif rouge sang brillait comme un rubis à la lumière. Les yeux fermés, je l'ai respiré, son arôme était somptueux, fruité.

Ma mère avait emprunté le corps d'un pigeon et avait fait l'impossible pour me transmettre un message, j'en étais convaincue.

J'ai sorti les couverts, une fourchette et un couteau en argent bien lourds en main.

En attendant que le pigeon sauvage finisse de cuire, j'ai mouillé d'un peu de vin les sucs de cuisson, que j'ai fait réduire, puis j'en ai nappé le pigeon rôti. Je l'ai aussitôt disposé sur l'assiette, que j'ai portée à table.

Ma mère m'avait redonné goût à la cuisine.

Après avoir poliment dit *itadakimasu* en silence, j'ai piqué de ma fourchette le pigeon sauvage qui, il y a quelques heures encore, volait dans le ciel. Du jus rouge a jailli d'entre les fibres de la chair. Avec mon couteau, j'ai coupé un morceau, que j'ai porté à ma bouche encore fumant. Le jus de viande au puissant goût de nature s'est lentement répandu dans ma bouche. C'est arrivé au moment où j'ai dégluti.

Non, je devais faire erreur...

Après m'être calmée en reprenant une gorgée de vin rouge, j'ai mangé une nouvelle bouchée du pigeon rôti. Avec un peu de retard, comme quand on appuie sur les touches d'un vieil orgue à moitié cassé, ma voix a obéi.

Mmm...

Enfin, ma voix était de retour dans mon corps !

C'était comme si un fil inextricablement enchevêtré dans mon estomac se démêlait enfin et sortait de mon corps par ma bouche. Comme si un rayon de soleil s'était à l'instant glissé dans une cabane à outils restée fermée pendant des dizaines d'années.

C'est bon !

Ma voix a fait vibrer ma gorge, délicatement frôlé ma langue et, en un souffle léger, a quitté mon corps pour s'envoler vers le monde exquis où se trouvait ma mère.

Merci !

Je l'ai dit à maman, à voix haute. De ma voix qui résonnait à mes oreilles pour la première fois depuis longtemps.

J'ai fini le pigeon rôti, sans en laisser une miette. En mangeant, j'ai soudain eu l'impression que ma mère partageait mon repas. Avec les doigts, j'ai grignoté la viande sur les os. J'ai aussi fini la bouteille de vin rouge. Le minuscule cœur du pigeon s'est dissous, lentement mais sûrement, dans mon souffle. Hermès et le pigeon sauvage se sont unis dans mon corps. J'ai repris goût à la vie.

Je ne devais pas abandonner la cuisine.

Cette certitude m'habitait.

Alors, j'ai décidé de recommencer à cuisiner pour de bon.

De cuisiner pour faire plaisir à ceux qui m'entourent.

De cuisiner pour apporter la joie.

De continuer à rendre les gens heureux, même un tout petit peu.

Ici, dans cette cuisine unique au monde, celle de *L'Escargot*.

Achevé d'imprimer en Espagne par

Novembre 2019

Dépôt légal : janvier 2015